atlas
des fossiles et
minéraux

GAMMA
CONTEXT • ÉCOLE ACTIVE

Traduction : Frédéric Bernard.

© Copyright 2003 Parramón Ediciones, S.A.
Ronda Sant Pere, 5, 4th FL
08010 Barcelone (Espagne)

Auteur : José Tola, Eva Infiesta

Titre original : *Atlas bàsico de fósiles y minerales*

© Éditions Gamma,
60120 Bonneuil-les-Eaux, 2004,
pour l'édition française.
Dépôt légal : février 2004.
Bibliothèque nationale.
ISBN 2-7130-2009-3

Exclusivité au Canada :
Éditions École Active
2244, rue de Rouen, Montréal,
Qué. H2K 1L5.
Dépôts légaux : février 2004.
Bibliothèque nationale du Québec,
Bibliothèque nationale du Canada.
ISBN 2-89069-760-6

Diffusion en Belgique :
Context Édition et Diffusion S.A.
Rue Pépin, 14
4040 Herstal

Crédits photographiques :
Eduardo Banqueri, Boreal, Jaume Gallemí, Manel Clemente, Prisma, Jordi Vidal

Illustrateurs
Jaume Farrés, Albert Martínez, Josep Torres

Loi n° 49-956 du 16 juillet 1949
sur les publications destinées à la jeunesse.

Imprimé en Espagne.

PRÉSENTATION

Cet atlas de fossiles et minéraux offre la possibilité de reconstruire la fascinante histoire géologique de notre planète ainsi qu'un nouveau regard sur l'apparition de la vie sur Terre et son évolution. C'est pourquoi il constitue un instrument très utile pour connaître la grande variété de roches, minéraux et fossiles que nous pouvons trouver sous nos pieds.

L'ensemble des parties distinctes de cet ouvrage constitue une véritable synthèse de minéralogie et paléontologie. De multiples planches, photographies et dessins montrent les principales caractéristiques des roches, minéraux et fossiles. Ces illustrations, qui constituent le noyau du livre, sont accompagnées de brèves explications et de notes qui facilitent la compréhension des principaux concepts. Un index détaillé permet de trouver rapidement toute question étudiée.

En entreprenant l'édition de cet atlas de fossiles et minéraux, notre objectif était de réaliser un livre pratique et didactique, utile et accessible, d'une grande rigueur scientifique tout en restant clair et agréable. Nous espérons que nos lecteurs considéreront nos objectifs comme atteints.

SOMMAIRE

INTRODUCTION

LES MINÉRAUX ET LES FOSSILES

En étroite relation avec la **géologie**, l'étude des minéraux et des roches est beaucoup plus ancienne que celle-ci. Les minéraux et les roches constituent la base physique sur laquelle nous nous trouvons, formant l'écorce de notre planète. Certaines roches et minéraux eurent une grande importance durant la préhistoire. De fait, les premières **ébauches de civilisation** sont liées aux minéraux qui servaient à fabriquer des outils et des armes en silex, bronze et fer. Aujourd'hui, notre vie dépend toujours des minéraux qui nous permettent de produire des automobiles, avions, trains, instruments de chirurgie, outils de cuisine, appareils électroménagers, circuits informatiques... Les pierres et les métaux précieux sont également des minéraux ; convoités depuis les époques les plus reculées, quels que soient les types de civilisation, ils ont bien souvent influencé le **cours de l'Histoire**.

Actuellement, ils continuent à jouer un rôle essentiel dans notre société et certains d'entre eux, comme l'or, sont les maîtres économiques dont dépend l'économie mondiale.

De plus, depuis de nombreux siècles, **collectionner** des minéraux, roches et cristaux – pour leurs couleurs ou leurs formes – a connu un très grand engouement. De nombreuses personnes ont collectionné des minéraux, à un moment ou un autre de leur vie, même si ceux-ci furent les plus communs qu'ils aient pu trouver. La plupart des gens cherchent de petits morceaux de matière minérale, les classent et les gardent dans des boîtes, formant une collection intéressante. Une multitude d'établissements se consacrent à cette activité et nous offrent des devantures multicolores pour attirer notre regard.

Les roches et minéraux de notre planète n'ont pas toujours été tels que nous les connaissons, mais ils ont subi des transformations au fil du temps.

Les volcans ont démontré la vitalité
géologique de la Terre. Cette
photographie montre les différentes
couches de matériaux rejetés par
un volcan des îles Canaries.

Dans les pages suivantes, nous découvrirons les minéraux en suivant les différentes étapes qui nous permettent de comprendre la grande variété de leur constitution, de leurs formes et de leurs coloris.

Dans la première section de cet atlas consacrée à la collection de minéraux, nous remonterons aux origines : la naissance de notre planète et la formation des premiers minéraux et des premières roches. Puis nous verrons les aspects pratiques utiles au collectionneur de minéraux, c'est-à-dire la façon de les recueillir, de les traiter et de les organiser en une collection la plus complète possible, collection comprenant aussi bien des minéraux les plus communs de notre entourage immédiat que d'autres provenant de lieux éloignés, mais dont la beauté a su nous séduire.

L'intérêt pour les **fossiles** s'est également développé, bien que tardivement, pour atteindre le niveau de celui des collectionneurs de minéraux. De nombreux amateurs de restes pétrifiés de plantes et animaux appartenant au passé font des fouilles partout dans le monde, dans des anciens gisements et dans des carrières, avec l'espoir de trouver une espèce encore inconnue. Leurs efforts sont parfois récompensés.

LA MINÉRALOGIE

Cette science étudie à divers niveaux les minéraux et leurs agrégats, c'est-à-dire ce que nous appelons les « **roches** ». La composition chimique des minéraux est un aspect fondamental qui détermine une grande partie de leurs propriétés. La forme et les propriétés des cristaux sont tout aussi importantes ; l'une des branches essentielles de cette science s'occupe de cet aspect : c'est la **cristallographie**.

Le gypse, présenté ici sous
la forme de beaux cristaux,
est un minéral très abondant
sur Terre ; il a de nombreuses
utilisations.

Un exemple
de muscovite
(mica blanc).

LA PALÉONTOLOGIE

La définition de cette discipline est assez simple : c'est la science qui étudie les **fossiles**. Mais cette apparente simplicité cache un travail lent qui débute souvent à l'aveuglette. Quand le paléontologue découvre des restes fossilisés, il étudie le lieu de sa trouvaille et essaie d'identifier le fossile. En général, les fossiles appartiennent à des espèces connues, mais pas toujours. Commence alors un travail de détective. Il se peut qu'il s'agisse d'une nouvelle espèce, mais appartenant à un genre auquel appartiennent d'autres espèces déjà connues de fossiles. La tâche du paléontologue consiste à donner un nom à sa découverte ; c'est un travail de spécialiste.

Quand les minéraux sont propres, il faut les classer. C'est une tâche qui requiert patience et méthode ; pour y réussir, il faut rechercher leurs caractéristiques fondamentales : le type de minéral, le système cristallin auquel il appartient, la dureté, la couleur… Avec un peu d'expérience, l'amateur ne tarde pas à se débrouiller facilement. Une fois que nous connaissons le nom du minéral, nous pouvons commencer à préparer notre collection, l'ordonnant selon certains critères, en général par sa composition chimique.

Nous pouvons alors accéder aux deux grandes sections suivantes. La première qui traite des cristaux et minéraux, nous présente certains des principaux types de cristaux et minéraux que nous pouvons trouver dans la nature et qui, peut-être, feront partie de notre collection. Nous découvrirons les minéraux communs, comme le cuivre, et les pierres précieuses, comme les diamants et les émeraudes. Chacun d'eux est important pour le collectionneur fasciné par la beauté de leurs formes cristallines ou de leurs couleurs.

La seconde section, consacrée aux roches, aborde les matériaux plus courants qui font partie de l'écorce terrestre et que nous pouvons trouver dans n'importe quel type de paysage. Même dans l'humus des bois apparaissent de petits fragments rocheux qui, plus profondément, constituent la roche mère sur laquelle s'est formé le sol pour accueillir la végétation.

Le plus passionnant est lorsqu'il s'agit d'une espèce sans parenté avec celles connues. Il faut alors tenter de savoir, à partir de ces restes, à quoi ressemblait l'animal ou le végétal dont ils proviennent. Comment et où vivait-il ? Dans quel groupe zoologique ou botanique l'inclure ? En se fondant sur l'étude de fossiles similaires et en suivant des méthodes qui ont déjà fait leurs preuves, il est possible de rechercher des dates. Au fur et à mesure de l'avancée des recherches, il convient bien souvent de modifier les conclusions avancées au départ afin de pouvoir s'approcher de ce que l'organisme fut en réalité. Les preuves disponibles sont des preuves indirectes, sources de nombreuses interrogations. C'est un véritable défi scientifique.

Ce passionnant travail scientifique peut aussi être effectué par un amateur lorsqu'il enquête sur sa découverte.

Depuis des temps très anciens, l'homme a exploité les minéraux. Cette mine d'argent et d'étain, à Potosí (en Bolivie), a été exploitée de manière ininterrompue depuis plus de quatre cents ans.

Cet atlas se termine par des conseils pour la préparation d'une collection de fossiles. Ces conseils de base sont destinés à l'amateur de fossiles lorsque celui-ci décide d'ordonner ses découvertes afin de créer une petite collection. Bien organisée et entretenue, elle peut acquérir de l'importance avec le temps.

À l'aide de livres et de guides, sans oublier les visites des musées où sont exposés des fossiles, l'amateur pourra vérifier comment se nomme le fossile qu'il a trouvé. Cette identification sera la récompense de ses efforts, comme toute identification l'est pour la multitude d'amateurs de fossiles.

Qu'il s'agisse de fossiles comme de minéraux, le plus important et le plus satisfaisant est de préparer soi-même la collection avec les échantillons trouvés en vérifiant les noms et en apprenant le maximum de choses sur leur origine et les lieux de leur découverte. Il est aussi possible d'acquérir plusieurs de ces échantillons, en particulier ceux provenant d'autres zones ; dans ce cas, il est important de commencer la collection ou au moins de la compléter avec ses propres découvertes. Bien qu'une bonne partie du travail de préparation de la collection se fasse dans la campagne à chercher des échantillons intéressants, non moins important est le temps passé à la maison à la longue tâche d'identification et de classification de chacun d'entre eux.

Cet ouvrage nous montre la façon dont les fossiles se sont formés et nous explique la meilleure manière d'organiser une **collection**. La partie sur l'histoire des fossiles nous fournit un rapide mais fascinant parcours de l'histoire de notre planète depuis l'apparition de la vie jusqu'à nos jours. Nous verrons ainsi que les fossiles sont les témoins de notre histoire et, souvent aussi, de nos ancêtres, même si nombre d'entre eux sont très éloignés.

Dans la section consacrée aux différents types de fossiles, nous découvrirons les grandes lignes des principaux groupes d'organismes conservés à l'état de fossiles jusqu'à nos jours. Il faut distinguer les **végétaux** grands ou petits, mais surtout les **animaux** dont les parties dures de leurs enveloppes se sont transformées en minéraux – des carapaces des mollusques aux restes de nos ancêtres **hominidés**, en passant par les os de dinosaures.

Les animaux et végétaux fossilisés permettent d'étudier l'évolution des espèces.

LA STRUCTURE DE LA TERRE

Depuis sa formation jusqu'à nos jours, la Terre a subi de multiples changements. Dans les premières étapes, elle était une masse d'éléments chimiques en partie fondus. Plus tard, la couche superficielle de la Terre finit par se solidifier en formant ce que nous appelons la « croûte » ou « l'écorce ». Cette écorce, de même que les couches inférieures encore incandescentes, contient ces éléments chimiques en proportions distinctes. Une fois solidifiés, ces éléments forment les minéraux et roches qui constituent notre monde physique.

LES COUCHES TERRESTRES

Différentes théories expliquent la naissance de notre planète à partir de la matière en rotation autour du Soleil. Cependant, quelle que soit son origine, nous savons aujourd'hui que la Terre est une sphère constituée d'une succession de couches concentriques. Tout d'abord, nous distinguons le **noyau** central composé principalement de fer et de nickel. On peut y distinguer deux parties : le noyau interne ou graine (solide) et le noyau externe (liquide). Ensuite vient le **manteau** fait de silice ; il est subdivisé en deux zones : la plus profonde est solide et la zone supérieure est visqueuse. Cette dernière, en contact avec la croûte terrestre, est également faite de silice solide ; l'**écorce** va jusqu'à la surface.

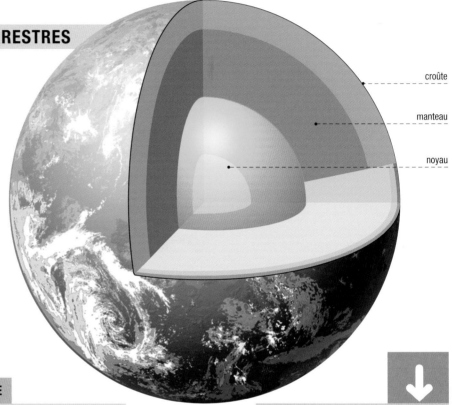

croûte

manteau

noyau

L'ÉPAISSEUR DE LA CROÛTE

Au-dessous des océans, l'épaisseur de la croûte océanique varie entre 5 et 10 km tandis que la croûte continentale (sous les continents) oscille entre 35 et 100 km.

La température de la croûte terrestre est comprise entre 0 °C et 600 °C et augmente avec la profondeur.

LA CROÛTE TERRESTRE

Cette enveloppe solide de la planète atteint, en certains points, jusqu'à 100 km d'épaisseur. Cependant, nous la connaissons seulement dans sa partie la plus superficielle, car les forages plus profonds ont à peine atteint les 15 km. Elle est solide et sa composition très variable : la croûte océanique est riche en silice et magnésium (c'est pourquoi elle est parfois appelée **sima**) ; la croûte continentale est riche en silice et aluminium (d'où le nom de **sial**).

La densité moyenne de la croûte terrestre oscille entre 2,5 et 3. Ci-contre, nous voyons des strates de la vallée du Río Furioso (Argentine).

Introduction

La Terre

La collection
de minéraux

Les systèmes
cristallins

Les gemmes

Les minéraux

Les roches

La vie
sur la Terre

La formation
des fossiles

Les espèces
disparues

Les types
de fossiles

Les
dinosaures

Les fossiles
de mammifères

La collection
de fossiles

Les gisements
de fossiles

Index

LES COUCHES EXTERNES DE LA TERRE

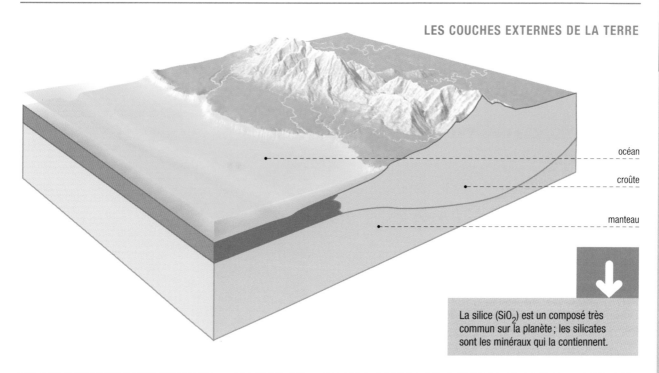

océan

croûte

manteau

La silice (SiO_2) est un composé très commun sur la planète ; les silicates sont les minéraux qui la contiennent.

LE MANTEAU ET LE NOYAU

Le **manteau** est la couche la plus épaisse de la Terre, car on suppose qu'il représente 68 % de la masse terrestre. Sa densité augmente de sa partie supérieure (3) à sa zone inférieure (5,4). Il s'étend depuis la croûte jusqu'à 2900 km de profondeur. Il est formé de minéraux divers dont l'olivine, le pyroxène et le feldspath.

Le **noyau** représente approximativement 30 % de la masse terrestre. Il est composé principalement de fer additionné de soufre dans sa partie la plus externe et de nickel dans sa zone la plus interne. Il s'étend de 2900 km de profondeur jusqu'au centre de la planète situé à 6370 km de la surface.

COMMENT CONNAÎTRE L'INTÉRIEUR DE LA TERRE ?

Étant donné que l'on ne peut atteindre que quelques kilomètres de profondeur, toutes les données concernant l'intérieur de notre planète ont dû être obtenues par des méthodes indirectes. Parmi celles-ci figurent les **météorites** (les restes du même nuage de matière qui forma la Terre), les **ondes sismiques** produites par les tremblements de terre (pour calculer les densités), les **éruptions volcaniques** (elles expulsent les composants du manteau) et la **pesanteur** (qui permet de vérifier l'épaisseur des couches).

LE SISMOGRAPHE

L'activité interne de la planète s'enregistre à l'aide de sismographes. Sur le dessin, deux types simples de sismographe.

masse

style

bande de papier gradué

masse

style

bande de papier gradué

LES TEMPÉRATURES

La température du manteau oscille entre 900 °C pour la couche supérieure et 400 °C pour l'inférieure. La température du noyau varie entre 4300 °C et 6500 °C dans sa partie la plus profonde.

La lave est produite par les éruptions volcaniques. En se solidifiant, elle prend des formes très variées. Elle contient une grande diversité de minéraux.

LA COLLECTE DES ÉCHANTILLONS

L'une des premières tâches évidentes pour démarrer notre propre collection de minéraux est de recueillir des échantillons. Il ne s'agit pas de remplir son sac de pierres et, une fois rentré, de les jeter parce qu'elles n'offrent aucun intérêt. Le ramassage des matériaux est un travail très important qui se prépare.

QUEL TYPE DE COLLECTION SOUHAITONS-NOUS ?

Tout d'abord, avant de commencer, il faut penser au type de **collection** que nous désirons. C'est fondamental, car réaliser une collection avec les roches ou minéraux situés dans **notre environnement** est très différent de faire une collection composée de la grande variété offerte par notre planète. Cette dernière nous oblige à acquérir de nombreuses pièces chez des spécialistes. Il est aussi possible de la diviser en deux sections : la première dédiée aux minéraux et roches qui constituent la **base géologique** de notre région ; la seconde consacrée aux matériaux que nous rapporterons de nos voyages ou que nous pourrons acquérir en accédant à des gisements.

Formation basaltique sur la côte sud d'Islande.

Une carte au 1/200 000 nous donnera une vision générale d'un territoire de 6000 km² à 8000 km². Pour des zones plus limitées, il faut recourir à une autre échelle : au 1/50 000 ou 1/25 000.

LES SOURCES D'INFORMATIONS

Même si la visite d'un musée d'histoire naturelle peut paraître au premier abord fastidieuse, elle devient fascinante quand un expert ou un bon guide nous explique l'origine de chaque échantillon.

La visite d'un **musée** est une aide très utile avant de commencer notre collection de roches et de minéraux afin de l'ordonner suivant des critères scientifiques déterminés. Une vue d'ensemble des pièces exposées nous permettra de mieux cerner nos intentions. Certains des échantillons nous attireront sûrement plus que d'autres et cela nous donnera peut-être une piste pour planifier nos recherches. Les **commerces spécialisés** dans les minéraux peuvent également nous orienter durant cette première étape. La suivante consiste à se procurer une **carte géologique** de notre région. Plus tard, il sera nécessaire d'élargir nos investigations à d'autres zones, pouvant aller jusqu'à l'ensemble de la planète. Les **livres de géologie** sont aussi importants, car ils nous apportent une connaissance approfondie sur nos futures découvertes : chaque minéral est le produit de processus géologiques déterminés.

Lorsque l'on trouve un minéral, il est important de rechercher l'histoire géologique du lieu qui contribua à sa formation.

LES OUTILS DU COLLECTIONNEUR

Une **carte** géologique et une **boussole** sont indispensables pour localiser les différentes parties des terrains. La première sortie en campagne nous enseignera la meilleure façon de pratiquer. Des **sacs de plastique** sont nécessaires pour recueillir séparément chacun des minéraux trouvés, avec une petite étiquette indiquant les dates des découvertes utiles ensuite pour le classement. En outre, une série d'outils de base nous sera indispensable, dont un **marteau de géologue** pour briser les amas. De même, il convient d'avoir une **loupe** pour distinguer les plus petits détails de l'échantillon ramassé. Un carnet et un style complètent l'arsenal pour noter toutes les observations jugées importantes et qui seront fort utiles pour les prochaines sorties.

Les carrières sont de bons endroits pour trouver des strates comportant une grande variété de minéraux. Si nous nous déplaçons dans une carrière ou dans un endroit où des roches se détachent (même si elles sont petites), il convient de porter un casque comme celui des spéléologues.

Ci-dessus, l'équipement de base du collectionneur de minéraux.

LES AIRES PROTÉGÉES

Dans les parcs nationaux et autres zones protégées, il est interdit non seulement de collecter des plantes ou animaux, mais aussi des minéraux. Ils font partie de l'écosystème.

Pendant la recherche d'un échantillon de roche, il ne faut pas dégrader le terrain de recherche ni provoquer de destructions du sol, ni détruire des gîtes ou autres refuges d'animaux.

OÙ CHERCHER ?

Les meilleurs endroits pour trouver des échantillons de minéraux sont les **dépôts d'alluvions**, les **terrains pierreux** qui se rencontrent sur des pentes et certaines zones où se sont produits des éboulis. Cependant, il faut être prudent, car la plupart de ces sites sont assez dangereux du fait de l'instabilité du sol. C'est souvent le cas dans les terrains pierreux fortement pentus. Une ancienne **carrière** peut également fournir des matériaux déjà fragmentés. Mais il faut toujours être attentif lors de chaque sortie, car un échantillon très intéressant peut se trouver en un lieu inattendu.

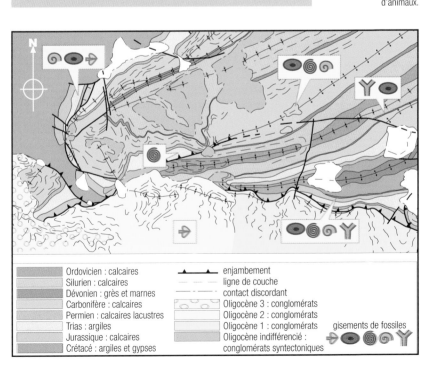

Ordovicien : calcaires	enjambement
Silurien : calcaires	ligne de couche
Dévonien : grès et marnes	contact discordant
Carbonifère : calcaires	Oligocène 3 : conglomérats
Permien : calcaires lacustres	Oligocène 2 : conglomérats
Trias : argiles	Oligocène 1 : conglomérats
Jurassique : calcaires	Oligocène indifférencié :
Crétacé : argiles et gypses	conglomérats syntectoniques

gisements de fossiles

Une carte géologique indique les ères géologiques et les types de roches, ainsi que les zones contenant des types de fossiles déterminés.

COMMENT PRÉPARER SA COLLECTION

Une fois que nous disposons des échantillons que nous désirons conserver, il faut les préparer. S'ils proviennent directement de nos sorties, le premier travail consiste à les nettoyer, puis à les étiqueter et leur donner une place dans la maison, en un lieu où ils seront mis en valeur : vitrine ou casier. Cette succession de tâches est à répéter à chaque fois que nous complétons notre collection avec un nouvel échantillon.

LA PRÉPARATION DU MATÉRIEL

Le fragment de roche (ou le minéral ramassé) est le plus souvent aggloméré à d'autres matières qu'il faut éliminer. Avant de procéder au **nettoyage**, il est nécessaire de savoir quel est le type de minéral trouvé, car certains – comme le **sel gemme** – se dissolvent dans l'eau et nous perdrions alors les échantillons en les lavant à l'eau. La première étape du nettoyage se pratique seulement avec une **brosse** à gros poils afin d'éliminer la terre incrustée. Ensuite, en fonction de la fragilité du fragment, il faut employer un **pinceau** à poils souples. Certains minéraux ont besoin, pour souligner leur éclat, d'être polis avec une machine appelée « **meule** ». D'autres forment des **géodes** et il faut les couper pour en voir l'intérieur. Toutes ces tâches, en particulier les dernières, peuvent être laissées à un professionnel.

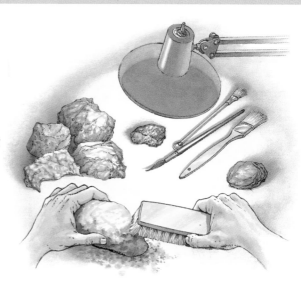

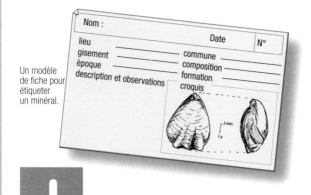

Un modèle de fiche pour étiqueter un minéral.

Il faut préparer la collection dès les premières sorties sans prendre de retard afin de ne pas oublier des détails importants observés sur le terrain.

Si l'échantillon est très grand, il est possible de le fragmenter en morceaux plus petits qui peuvent s'échanger contre des pierres que nous ne possédons pas.

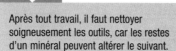

Après tout travail, il faut nettoyer soigneusement les outils, car les restes d'un minéral peuvent altérer le suivant.

LA CLASSIFICATION

Cette tâche est longue la plupart du temps, car il est souvent difficile d'identifier l'échantillon que nous possédons. Nous pouvons suivre les instructions d'un guide où sont notées les données importantes qui nous sont nécessaires. En général, on fait la distinction entre les **minéraux** et les **roches**. Les premiers se présentent habituellement sous forme de cristaux plus ou moins réguliers. Les roches, au contraire, peuvent être constituées de divers cristaux d'un même minéral, altérés ou non, ou bien de différents minéraux. Ensuite, à l'intérieur de ces deux grands groupes, les minéraux se divisent suivant le type de leurs composés (silicates, carbonates, sulfates, oxydes, etc.) ; les roches se partagent en fonction de leur mode de formation (magmatiques, sédimentaires, métamorphiques).

LE MARQUAGE

Il convient de marquer les échantillons en peignant en blanc une petite zone cachée sur laquelle nous pouvons noter un numéro de référence (correspondant à l'étiquette du minéral).

Des outils pour travailler avec les minéraux : guide illustré, brosse, pince, cuvette, pinceau, ciseau, ...

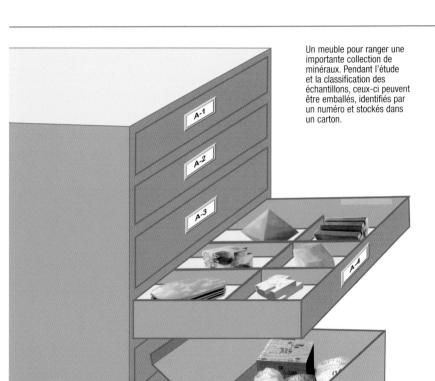

Un meuble pour ranger une importante collection de minéraux. Pendant l'étude et la classification des échantillons, ceux-ci peuvent être emballés, identifiés par un numéro et stockés dans un carton.

LE RANGEMENT

Pour ranger les minéraux ou roches de la future collection, il suffit simplement d'utiliser des boîtes en carton où les échantillons seront enveloppés de papier et dûment identifiés. Des caisses en bois divisées en petits compartiments et fermées par un couvercle en verre (on en trouve en vente toutes faites chez des spécialistes) sont aussi très pratiques, car elles permettent d'exposer la collection. Mais lorsque celle-ci est très grande, il faut recourir à de petites armoires à tiroirs, des classeurs, où les échantillons seront alors rangés par catégories.

QUELLE SCIENCE ?

- La **pétrologie** étudie la formation, la modification et la classification des roches.

- La **cristallographie** étudie le mode de cristallisation des minéraux ainsi que les propriétés et la classification des cristaux.

- La **minéralogie est** l'étude de la composition chimique et des propriétés physiques des minéraux.

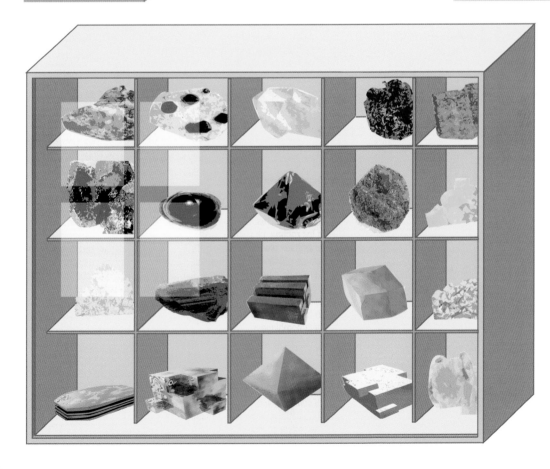

Pour exposer notre collection, nous pouvons construire cette vitrine ou en acheter une toute faite.

LES CRISTAUX ET LES SYSTÈMES CRISTALLINS

La majorité des minéraux se présentent sous forme cristalline plus ou moins régulière. De tailles et de couleurs très variées, ils sont souvent très attractifs. Un système de classification permet de les répartir dans des grands groupes appelés « systèmes cristallins ». Chaque cristal se caractérise par ses propriétés géométriques, physiques et chimiques.

LA FORMATION DES CRISTAUX

Quand les minéraux se forment, les **éléments chimiques** (atomes et molécules) qui les composent s'ordonnent en une forme géométrique en trois dimensions appelée **cristal**. Chaque type de minéral produit une variété de cristal bien que, souvent, les aspects externes de deux cristaux issus d'un même minéral puissent être très différents. Ce développement est un processus qui se déroule dans les couches profondes de la planète où règnent de grandes pressions et des températures très élevées. Ainsi naissent les roches qui contiennent les cristaux. D'autres minéraux (comme les **sels**) se forment quand une solution chimique dépasse une concentration déterminée : elle devient saturée et cet excès d'éléments chimiques se condense sous forme de cristal.

Cristal en flèche d'un fragment de gypse.

LA CROISSANCE

Les différentes faces d'un même cristal peuvent croître à des vitesses distinctes et adopter une forme irrégulière.

Le cristal de la verrerie n'est pas un cristal, mais un verre contenant de l'oxyde de plomb.

La taille des cristaux dépend de leur vitesse de formation : plus elle est lente, meilleur sera le cristal.

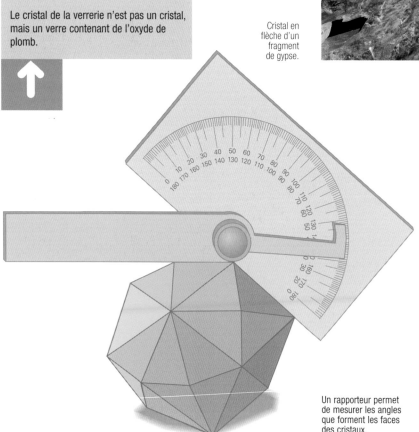

Un rapporteur permet de mesurer les angles que forment les faces des cristaux.

UNE LOI IMPORTANTE

Malgré ce qui distingue les **cristaux** de différents échantillons d'un même minéral, ils ont une caractéristique qui permet de les définir et de vérifier qu'il s'agit du même type de cristal. Cette caractéristique est définie par la « loi de constance des angles dièdres ». L'**angle dièdre** est l'angle formé par deux faces voisines d'un cristal. Dans les mêmes conditions de pression et de température, tous les cristaux d'une même espèce minérale présentent le même angle dièdre. Ainsi, les faces d'un cristal de pyrite forment toujours entre elles un angle de 90°, même s'ils proviennent de gisements très différents, tandis que l'angle entre les faces d'un cristal de quartz mesure 120°.

LES SYSTÈMES CRISTALLINS

Groupe	Caractéristiques	Système	Caractéristiques	Exemple
monométrique	3 axes d'égale longueur	cubique	3 axes perpendiculaires entre eux	grenat
dimétrique	2 axes d'égale longueur et 1 distinct	quadratique	3 axes perpendiculaires entre eux : les 2 égaux dans le même plan et l'autre perpendiculaire	zircon
		hexagonal	3 axes dans un plan qui se coupent en formant un angle de 60° et le 4e axe perpendiculaire ; il y a 6 plans de symétrie	béryl
		rhomboédrique	comme l'hexagonal, mais avec 3 plans de symétrie	saphir
trimétrique	3 axes de longueur différente	orthorhombique	2 axes perpendiculaires entre eux et le 3e perpendiculaire au plan formé par les 2 premiers	topaze
		monoclinique	2 axes qui se coupent en angle oblique et le 3e leur est perpendiculaire	épidote
		triclinique	les 3 axes se coupent en angles obliques distincts	amazonite

Classification des cristaux. À gauche, un exemple de chaque système.

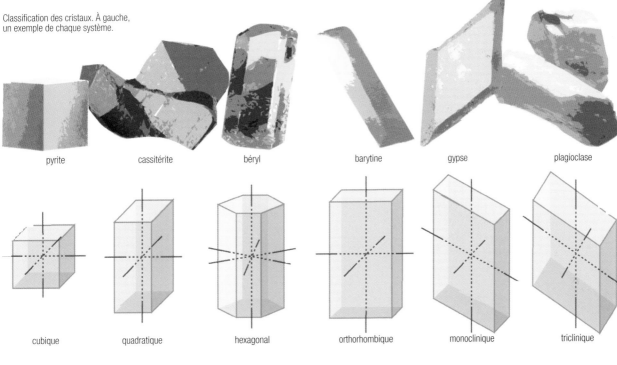

pyrite   cassitérite   béryl   barytine   gypse   plagioclase

cubique   quadratique   hexagonal   orthorhombique   monoclinique   triclinique

LES AGRÉGATS

Les cristaux peuvent croître isolés, mais ils apparaissent le plus souvent associés, formant des **agrégats**. Ce sont des groupements de cristaux (deux ou plus) qui croissent suivant des lois déterminées. En outre, on peut les trouver en abondance à l'intérieur d'une masse de matériaux distincts (une **matrice**) de laquelle ils ressortent plus ou moins. Quand la matrice est plane, elle reçoit le nom de **druse** ; lorsque la matrice est concave, on parle de **géode**. Ce sont deux formes que l'on trouve couramment dans la nature.

La géode est une cavité, à l'intérieur d'une roche, dont les parois sont incrustées de minéraux plus ou moins cristallisés.

AXE ET PLAN

L'**axe de symétrie** est l'axe autour duquel tourne le cristal qui occupe 2, 3, 4 ou 6 fois la même position.

Le **plan de symétrie** est le plan qui divise un cristal en parties symétriques.

Quand l'agrégat adopte un aspect arborescent, il se nomme **dendrite**.

LES PROPRIÉTÉS DES MINÉRAUX

Pour classer les minéraux, on utilise leurs principales propriétés physiques, comme la dureté, la couleur, la transparence, etc. Nous étudierons le prolongement de ces propriétés utilisées pour l'identification des minéraux. Il existe pour certaines d'entre elles des tables de valeur qui, même si elles ne sont pas exactes, sont extrêmement pratiques et à la portée de tout collectionneur, car ne nécessitant pas l'utilisation d'instruments employés dans les laboratoires.

L'ÉCHELLE DE DURETÉ DE MOHS

Numéro	Exemple	Caractéristiques
1	talc	est friable sous les doigts
2	gypse	se raye à l'ongle
3	calcite	se raye avec une pièce en cuivre
4	fluorine	se raye facilement avec un couteau
5	apatite	se raye au couteau
6	orthose	raye avec difficulté le verre d'une fenêtre
7	quartz	raye facilement le verre d'une fenêtre
8	topaze	raye le quartz
9	corindon	raye la topaze
10	diamant	seul un autre diamant peut le rayer

LA DURETÉ

C'est la **résistance à la rayure** d'un minéral. Elle se mesure à l'aide de l'**échelle de Mohs** qui va de 1 (le plus mou) à 10 (le plus dur). Chaque minéral d'un niveau de l'échelle raye ceux des niveaux inférieurs, mais il est rayé par ceux des degrés supérieurs (que lui-même ne peut rayer). Par exemple, la calcite raye le talc et le gypse, mais ne raye pas la fluorine.

LA DENSITÉ

La densité d'un minéral est le rapport de sa masse à la masse d'un volume égal d'eau pure à 4 °C :

$$densité = m_1 (m_1 - m_2)$$

où m_1 = masse du minéral dans l'air ;
et m_2 = masse du minéral dans l'eau.

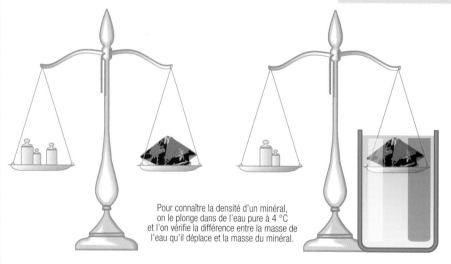

Pour connaître la densité d'un minéral, on le plonge dans de l'eau pure à 4 °C et l'on vérifie la différence entre la masse de l'eau qu'il déplace et la masse du minéral.

LA TRANSPARENCE

Si l'on peut voir à travers un cristal, il est **transparent**. S'il ne laisse pas passer la lumière, il est **opaque**. S'il laisse passer la lumière mais qu'on ne peut voir les formes, il est **translucide**.

L'ÉCLAT

C'est la façon dont brille un minéral exposé à la lumière.

L'argent, qui apparaît seulement dans les filons, est un métal précieux blanc, brillant, ductile et malléable ; c'est un excellent conducteur thermique et électrique.

Le saphir est l'un des plus durs minéraux connus. Il est classé 9 sur l'échelle de Mohs. Seul le diamant peut le rayer.

La malachite (à gauche) est opaque, c'est-à-dire qu'elle ne laisse pas passer la lumière.

LA BRISURE

Un minéral peut se briser suivant des surfaces planes lisses et parfaites (**clivages**) ou irrégulièrement (**cassures**). La cassure peut être caractéristique.

LA TÉNACITÉ

C'est la résistance offerte par un minéral à être cassé ou broyé. Un minéral peut être cassant, **malléable** s'il se façonne sans casser, **flexible** s'il peut être courbé, **élastique** si, après avoir été courbé, il revient à sa forme initiale.

LA RÉFRACTION

Il y a réfraction quand un rayon lumineux traverse un minéral et change de direction. Le degré de déviation s'appelle **indice de réfraction**.

RÉFRACTION DE LA LUMIÈRE DANS UN CRISTAL

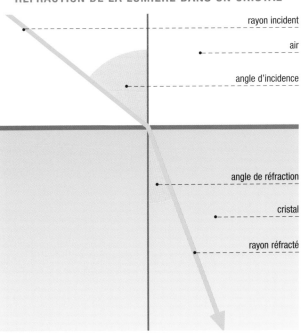

rayon incident

air

angle d'incidence

angle de réfraction

cristal

rayon réfracté

COULEUR

Cette caractéristique n'est pas toujours suffisante pour déterminer le type de minéral. Par exemple, la malachite est toujours verte, mais l'épidote a une couleur qui varie du vert émeraude au rouge ou jaune.

POUDRE

La **couleur de la poudre** obtenue en rayant un minéral est un caractère d'identification parfois très valable. Dans les boutiques spécialisées se vendent des plaques à rayer, mais on peut aussi les faire soi-même avec la partie rugueuse d'une vitre (même si elle ne peut servir pour tous les minéraux, car les plus durs rayent le verre).

Aspect de la fragile calcite, fragmentée après avoir été légèrement frappée.

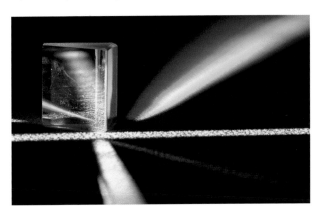

Quelques minéraux, comme ceux présentant des prismes, ont la propriété de décomposer la lumière blanche.

La pyrite (en haut à gauche) est opaque, le quartz (à droite) est transparent et l'apatite (en bas à gauche) est translucide.

CODE DES COULEURS

couleur	type de minéral	couleur	type de minéral
incolore	diamant	vert	émeraude
blanc	quartz laiteux	bleu	aigue-marine
rose	quartz rose	rouge	agate
ambre	béryl	pourpre	améthyste

LES GEMMES

Les gemmes, ou pierres précieuses, sont des types de cristaux bien précis qui se caractérisent par leur éclat particulier et leur couleur. Depuis l'Antiquité, les gemmes ont toujours suscité un grand intérêt.

La plupart sont rares et n'atteignent une taille importante qu'en de rares occasions. Mais pour les convertir en bijoux précieux, il est nécessaire de faire ressortir leurs propriétés grâce à la taille.

LA TAILLE

Tailler des minéraux est une activité très ancienne qui remonte à la préhistoire, lorsque les premiers hommes frappaient les pierres de **silex** pour obtenir un bord tranchant, créant les premiers outils et armes. La taille des **pierres précieuses** repose sur le même principe, mais dans le but de rehausser l'éclat et la couleur du minéral. La façon la plus simple est de polir le cristal jusqu'à lui donner une surface lisse et brillante de forme arrondie : c'est la taille en **cabochon**. Les tailles plus complexes se font avec des pierres comme les **diamants** et consistent à former un certain nombre de faces planes appelées « facettes ». Afin d'obtenir une plus grande brillance du cristal, il est essentiel que les angles des facettes soient très exacts pour que la lumière, arrivant sur le diamant, soit reflétée par toutes les facettes à la fois.

Diamants taillés de diverses façons et destinés à la joaillerie.

Anneaux avec des pierres taillées en cabochon.

La taille d'une pierre précieuse nécessite de connaître ses propriétés telles que l'exfoliation, l'éclat…

Les meilleurs diamantaires du monde sont ceux d'Amsterdam (aux Pays-Bas), dépositaires d'une longue tradition.

LE MICROSCOPE POLARISANT

Semblable au **microscope** utilisé en biologie pour l'observation des micro-organismes ou des tissus, le microscope polarisant sert à l'identification des minéraux. Il se différencie du premier par quelques composants comme les **filtres polariseurs**. Le minéral est coupé en une lame très mince à travers laquelle on fait passer un rayon lumineux qui devient polarisé en traversant les filtres. Comme chaque minéral possède des caractéristiques spécifiques de **polarisation**, il est alors possible d'identifier les minéraux faisant partie d'un agglomérat ou d'une roche.

UNE PIERRE PRÉCIEUSE TAILLÉE

100 %
56 %
couronne 19 %
culasse 40 %
41°
39°
facettes

La lumière naturelle n'est pas polarisée et se propage dans toutes les directions. La lumière polarisée vibre dans un seul plan.

LES DIFFÉRENTS TYPES DE TAILLE

en amande

en cabochon

à degrés

en diagonale

LE FILTRE POLARISEUR

Dispositif fait d'un matériau qui laisse seulement passer la lumière qui vibre dans un plan déterminé (plan de polarisation).

IMITATIONS DE PIERRES PRÉCIEUSES

Les imitations de pierres précieuses plus ou moins parfaites sont utilisées pour de nombreux usages. Les plus brillantes, mais les moins parfaites, sont les **verres colorés**. D'autres sont l'union d'une pierre précieuse naturelle avec une pierre artificielle ou un verre ; leur assemblage, appelé « doublet », les fait ressembler à une gemme de grande taille : par exemple, un **grenat** collé sur une pièce de verre ou un **saphir** naturel sur un autre artificiel.

Les saphirs taillés comme les diamants se différencient de ceux-ci par leur éclat moindre.

LES DIFFÉRENTS TYPES DE TAILLE ET DE COLORIS DES PIERRES PRÉCIEUSES

rubis   diamant   émeraude

héliodore   rubellite   saphir   topaze jaune

aigue-marine   opale de feu   opale   tourmaline

LES DIVERSES FAÇONS DE COMBINER UNE GEMME NATURELLE ET UNE FAUSSE

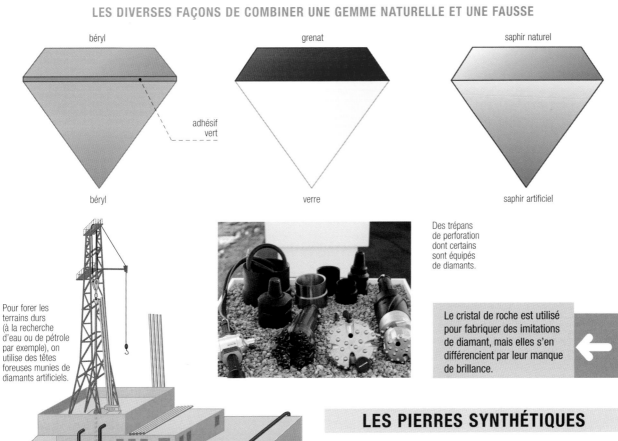

béryl

grenat

saphir naturel

adhésif vert

béryl

verre

saphir artificiel

Pour forer les terrains durs (à la recherche d'eau ou de pétrole par exemple), on utilise des têtes foreuses munies de diamants artificiels.

Des trépans de perforation dont certains sont équipés de diamants.

Le cristal de roche est utilisé pour fabriquer des imitations de diamant, mais elles s'en différencient par leur manque de brillance.

LES PIERRES SYNTHÉTIQUES

Ce type de minéraux synthétiques se fabrique avec des matières premières de même composition chimique que les minéraux naturels, mais dont les propriétés physiques diffèrent. De nombreuses pierres précieuses de ce type sont fabriquées, comme les **diamants**, **saphirs**, **opales**, **émeraudes**… Bien que leur aspect soit très proche de celui des pierres naturelles, un examen attentif permet de remarquer de petites inclusions, des bulles, des lignes de croissance… Néanmoins, elles sont utilisées pour des applications industrielles (spécialement le diamant) qui requièrent des minéraux d'une grande dureté.

LES ÉLÉMENTS NATIFS

Cette classe regroupe les minéraux constitués par un élément unique et qui se trouvent dans la nature à l'état pur. On distingue principalement deux types : les métaux – comme l'or, l'argent, le cuivre, le platine et le mercure – et les non-métaux – tels que le graphite, le diamant et le souffre.

L'OR

C'est l'un des minéraux les plus connus et appréciés depuis l'Antiquité. Il est de couleur jaune pâle ou foncé, avec un éclat métallique. Il est opaque et ne s'exfolie pas. Il se travaille relativement bien, car il est **malléable**. Il ne s'altère pas au contact de l'air. Il est dissous par **l'eau régale** (un mélange de 3/4 d'acide nitrique concentré pour 1/4 d'acide chlorhydrique). Il est présent partout et plus généralement dans les filons de quartz ou dans des alluvions appelés « placers ». Ses principaux gisements se trouvent en Afrique du Sud, Australie, Colombie, Mexique et aux États-Unis.

OR	
Dureté (échelle de Mohs)	2,5 - 3
Densité	15,6 - 19,3
Cristallisation	cubique

Depuis toujours, l'homme utilise l'or comme étalon monétaire, symbole de pouvoir. Ci-contre, un pectoral en or précolombien (de la culture Tolima en Colombie).

ARGENT

Il est de couleur blanc argenté ; son éclat est métallique et il est **malléable** (se travaille facilement). Il se trouve souvent sous forme de pépites et parfois aussi en cristaux cubiques de petite taille ainsi que dans certains minéraux comme la galène. Contrairement à l'or, l'argent s'oxyde à l'air et noircit. Il est très apprécié en joaillerie. Ses principaux gisements sont au Mexique.

ARGENT	
Dureté (échelle de Mohs)	2,5 - 3
Densité	10,1 - 10,5
Cristallisation	cubique

Jarre en argent de près de 2 m de haut, propriété du raja de Jaipur (en Inde).

LE DIAMANT

Il s'agit de carbone cristallisé, généralement incolore ou parfois de couleur (rose, jaune, orangé, vert, bleu). Il est transparent et son éclat est caractéristique. C'est le plus dur des minéraux connus. Utilisé en joaillerie, car c'est l'une des **gemmes** les plus appréciées, il est employé dans l'industrie comme abrasif (les têtes foreuses). Ses principaux gisements sont en Afrique et au Brésil, mais, en Inde par exemple, on en trouve des spécimens exceptionnels.

DIAMANT	
Dureté (échelle de Mohs)	10
Densité	3,51 - 3,52
Cristallisation	système cubique

Le diamant est l'un des joyaux les plus appréciés. Ci-contre, diamant pendant la taille brillant placé sur un tour d'anneau.

LE GRAPHITE

C'est du carbone naturel (le même que le diamant), mais très tendre (il salit les doigts en le maniant) et de couleur noire. Son éclat est métallique et il cristallise dans le système hexagonal. On l'utilise pour fabriquer des peintures et lubrifiants, des **mines de crayons** et des électrodes. On le trouve dans de nombreux lieux dans le monde.

GRAPHITE	
Dureté (échelle de Mohs)	1 - 2
Densité	2 - 2,2
Cristallisation	hexagonal

La plupart des crayons noirs que nous utilisons pour dessiner ont une mine en graphite.

L'or, peut-être le métal le plus apprécié, sert de réserve pour les banques centrales, mais il est aussi utilisé en joaillerie et orfèvrerie, en odontologie et dans l'industrie.

LE CUIVRE

C'est un minéral de couleur rouge-brun caractéristique (cuivré) et à l'éclat métallique ; il ne s'exfolie pas. Il est **malléable** et se dissout dans l'acide nitrique en produisant

CUIVRE	
Dureté (échelle de Mohs)	2,4 - 3
Densité	8,8 - 8,9
Cristallisation	cubique

une vapeur rougeâtre. On le trouve sous forme de masses à l'état pur ou combiné à d'autres minéraux. Il a une grande importance économique, car il est essentiel dans de nombreuses industries. Ses principaux gisements sont au Chili et aux États-Unis.

Par sa grande conductibilité, le cuivre sert principalement à faire des fils électriques, des interrupteurs, des appareils électriques… Ci-contre, une roche avec des incrustations de cuivre et des fils électriques, une des principales applications.

LE PLATINE

Il est de couleur gris métallisé brillant ; il est **malléable** et faiblement magnétique. Il ne s'exfolie pas et peut se dissoudre dans l'eau

PLATINE	
Dureté (échelle de Mohs)	4 - 4,5
Densité	14 - 19
Cristallisation	cubique

régale (3/4 d'acide chlorhydrique concentré pour 1/4 d'acide nitrique). Il se présente souvent sous forme de **pépites** ou de grains. C'est un métal précieux utilisé en joaillerie, mais aussi dans l'industrie en tant que catalyseur chimique. Ses principaux gisements sont en Afrique du Sud, Russie et Amérique du Nord.

Le point de fusion du platine est assez élevé (1772 °C), ce qui oblige les joailliers à utiliser un chalumeau oxypropane (oxygène et gaz propane) pour le fondre.

LE MERCURE

C'est le seul **métal liquide** à température ambiante. De couleur gris métallisé, il est soluble dans l'acide nitrique. Il est également utilisé pour dissoudre l'or et le platine

MERCURE	
Dureté (échelle de Mohs)	0
Densité	13,6
Cristallisation	hexagonal

(par exemple dans les gisements) et les séparer ainsi des autres minéraux. L'un de ses usages courants est l'emploi dans les **thermomètres**, mais il sert aussi à fabriquer des explosifs. On le trouve souvent dans un sulfure (**cinabre**). Les principaux gisements sont en Espagne et en Italie.

Le mercure est l'un des minéraux les plus denses. Il est utilisé pour fabriquer des miroirs et de nombreux appareils, dont les thermomètres.

LE SOUFRE

Il est de couleur jaune brillant qui peut parfois être rougeâtre. Il fond facilement à 112,8 °C ; en brûlant, il produit une flamme bleue

SOUFRE	
Dureté (échelle de Mohs)	1,5 - 2,5
Densité	2,05 - 2,09
Cristallisation	orthorhombique

dégageant des gaz toxiques à l'odeur très caractéristique. On le trouve souvent dans les terres volcaniques et autour des **fumerolles**, formant des cristaux. Il connaît de nombreux usages industriels tels que la fabrication des pesticides, de la poudre (feux d'artifice), d'acide sulfurique, de fongicides, …

Certains insecticides contiennent du soufre.

LES SULFURES

Les sulfures sont des minéraux qui contiennent du soufre. Bien que la quantité de soufre dans la croûte terrestre soit minime (inférieure à 0,1 %), les sulfures sont très importants comme minéraux de la majorité des métaux tels que le plomb, le cuivre, le nickel ou le mercure. Ils contiennent aussi des métaux précieux comme l'or ou l'argent. La métallurgie des sulfures est simple, ce qui facilite leur utilisation.

LA CHALCOPYRITE

C'est un sulfure de cuivre et de fer, semblable à la **pyrite**, de couleur laiton intense. Elle a un éclat métallique et ne s'exfolie pas. Elle est fragile et se dissout dans l'acide nitrique.

On la trouve habituellement sous forme de masses irrégulières, même si parfois elle forme des cristaux. Sa poussière est noir verdâtre. C'est le principal minerai dont on extrait le cuivre. Elle est souvent associée à la **malachite** et au **quartz**. On la trouve aux États-Unis, au Chili, en Europe occidentale, Afrique du Sud et Australie.

Échantillon de chalcopyrite à l'état brut (à gauche) et polie (à droite).

CHALCOPYRITE	
Dureté (échelle de Mohs)	3,5 - 4
Densité	4,1 - 4,3
Cristallisation	cubique

LE CINABRE

C'est un minéral de couleur rouge plus ou moins intense, avec parfois des nuances de brun. Son éclat varie du terne au brillant comme le diamant. En le chauffant dans un tube à essai, de petites bulles métalliques se dégagent ; elles sont formées de mercure : c'est le principal et presque le seul minerai de **mercure**. Sa poussière est rouge vermillon. On le trouve souvent près des **fumerolles** volcaniques. Ses principaux gisements sont en Espagne, Italie, République tchèque, Pérou et États-Unis.

CINABRE	
Dureté (échelle de Mohs)	2 - 2,5
Densité	8 - 8,2
Cristallisation	hexagonal

Du cinabre, on obtient le mercure utilisé pour fabriquer divers instruments comme le tensiomètre qui mesure la pression artérielle.

LA GALÈNE

De couleur gris plomb à l'éclat brillant intense, elle se présente sous forme de **cubes parfaits** et parfois de cristaux. On la trouve dans les roches calcaires, généralement associée à d'autres minéraux comme le **quartz** ou la **pyrite**. Sa poussière est aussi de couleur gris plomb. Ses principaux gisements se situent en Europe occidentale, Australie, Chili, Pérou et États-Unis. C'est le principal minerai de plomb, mais qui peut aussi contenir de l'argent.

GALÈNE	
Dureté (échelle de Mohs)	2,5 - 2,75
Densité	7,4 - 7,6
Cristallisation	cubique

De la galène, on obtient du plomb, largement utilisé dans l'industrie et la construction (les conduits).

LA MOLYBDÉNITE

C'est un minéral tendre et gras au toucher, formant des écailles et de couleur gris plomb argenté. En le chauffant dans un tube à essai, il dégage une fumée jaunâtre. Sa poussière est grise ou verdâtre. C'est un minerai de **molybdène**. Ses principaux gisements sont en Norvège, Grande-Bretagne, Afrique centrale et Australie.

MOLYBDÉNITE	
Dureté (échelle de Mohs)	1 - 1,5
Densité	4,7 - 4,8
Cristallisation	hexagonal

Dans les aciers inoxydables, l'addition de molybdène (Mo) améliore leur ténacité et leur résistance à la corrosion.

Les Incas fabriquèrent des miroirs avec de la pyrite en utilisant sa propriété de scintillement intense et son poli brillant.

LA PYRITE

De couleur jaune laiteux au brillant variable, elle forme de petits cristaux. Sa poussière varie du brun noirâtre au noir verdâtre.

PYRITE	
Dureté (échelle de Mohs)	6 - 6,5
Densité	4,95 - 4,97
Cristallisation	cubique

Elle se présente souvent sous forme de masses plus ou moins compactes. On en trouve partout, car c'est l'un des plus abondants **sulfures** ; il sert à produire de l'acide sulfurique et du **sulfate de fer**. On l'utilise aussi pour les petites quantités d'or, de soufre et de cuivre qu'elle contient.

Les échantillons de pyrite sont très abondants et, grâce à leur éclat, relativement faciles à trouver.

L'ANTIMONITE

Plus connu sous le nom de « stibine », c'est un minéral tendre de couleur plus ou moins acier. Il se présente sous forme de cristaux allongés à l'éclat métallique. On le trouve dans les terrains de **quartz** et de **granit**. C'est le principal minerai dont on extrait l'**antimoine**. Les principaux gisements sont en Allemagne, Italie, Roumanie, Chine, Algérie, Mexique et Pérou.

ANTIMONITE	
Dureté (échelle de Mohs)	2
Densité	4,5 - 4,6
Cristallisation	orthorhombique

L'antimoine s'utilise allié à d'autres métaux, pour en augmenter la dureté et sa résistance à la friction.

L'ARGENTITE

Minéral de couleur gris verdâtre, il se fond facilement, il est **malléable** et d'un éclat métallique. Sa poussière est gris foncé.

ARGENTITE	
Dureté (échelle de Mohs)	2 - 2,5
Densité	7,3
Cristallisation	cubique

Souvent, il est associé à la **galène**. On le trouve sous forme cristalline ou en masses plus ou moins régulières. On en extrait principalement l'**argent**. Ses principaux gisements sont en Norvège, République tchèque, Mexique, Chili, Pérou, Australie, au Canada et aux États-Unis.

Échantillon d'argentite.

LA CHALCOSITE

C'est un minéral de couleur grise, facile à fondre et qui se dissout dans l'acide nitrique. Son éclat est métallique et sa poussière est grise. Elle forme souvent des agrégats granulaires, mais aussi moins fréquemment des cristaux. On la trouve dans les terrains où il existe d'autres minerais de **cuivre**, c'est-à-dire un peu partout dans le monde.

CHALCOSITE	
Dureté (échelle de Mohs)	2,5 - 3
Densité	5,5 - 5,8
Cristallisation	orthorhombique

La chalcosite est l'un des minerais de cuivre, métal utilisé parfois pour les toitures des palais et des églises.

LES OXYDES, HYDROXYDES ET HALOGÉNURES

Ce groupe comprend un vaste ensemble de minéraux très abondants dont l'un des principaux composants est l'oxygène, très présent dans la croûte terrestre. De plus, dans les hydroxydes sont présents un ou plusieurs atomes d'hydrogène. Les halogénures sont des minéraux tendres formés d'un métal et d'un halogène (chlore, sodium, etc.) ; ils se présentent sous forme de cristaux.

LE RUBIS

C'est un minéral d'**aluminium** de la même composition que le **corindon** (oxyde d'aluminium cristallisé), mais avec de petites impuretés de **chrome** qui lui donne sa couleur rouge. Il a parfois un léger ton de brun dû, dans ces cas-là, à la présence de **fer**.
Son éclat est vitreux ou adamantin. C'est une pierre précieuse très utilisée en joaillerie, mais elle est aussi synthétisée pour son utilisation dans les horloges et les machines.

RUBIS	
Dureté (échelle de Mohs)	9
Densité	4
Cristallisation	rhomboédrique

Les meilleurs gisements de rubis se situent dans le sud-est de l'Asie, mais aussi en Afrique orientale et en petites quantités dans d'autres lieux (Brésil, Australie, etc.).

LE SAPHIR

C'est un minéral de même composition que le **corindon**, mais avec des impuretés qui lui donnent différents coloris hormis le rouge (qui s'appelle rubis). Il existe des saphirs bleus, violets, jaunes, orangés et noirs. Ils s'utilisent également en **joaillerie**.
Les meilleurs gisements sont aussi dans le sud-est de l'Asie ainsi que dans d'autres pays comme le Brésil, l'Australie, l'Inde, …

SAPHIR	
Dureté (échelle de Mohs)	9
Densité	4
Cristallisation	rhomboédrique

Échantillon de saphir à l'état brut.

LA BIXBYITE

C'est un **oxyde de fer et de manganèse**. Sa couleur est généralement noire. Son éclat est métallisé et sa poussière noire. On la trouve dans les roches **volcaniques magmatiques** avec la **topaze** et les **grenats**.

BIXBYITE	
Dureté (échelle de Mohs)	6 - 6,5
Densité	4,9 - 5
Cristallisation	cubique

Échantillon de bixbyite.

LA MAGNÉTITE

C'est un minéral lourd qui forme des masses avec des cristaux géants. Cet oxyde de fer de couleur noire a des propriétés magnétiques : il dévie fortement l'aiguille d'une boussole placée à proximité. Son éclat est métallique et sa poussière également noire. On le trouve principalement dans les terrains constitués de roches éruptives. On en extrait du fer. Ses principaux gisements se trouvent en Suède et Norvège, mais aussi en Sibérie, au Brésil, à Cuba, en Australie et au Canada.

MAGNÉTITE	
Dureté (échelle de Mohs)	5,5 - 6,5
Densité	5,17 - 5,18
Cristallisation	cubique

La magnétite attire les objets en fer.

→ Un minéral est **flexible** s'il ne se rompt pas lorsqu'on le courbe (comme le mica). À l'inverse, il est **cassant** si sa déformation le brise (comme la plupart des minéraux).

LA BAUXITE

C'est une roche sédimentaire, riche en **hydrate d'aluminium**, qui forme des masses informes d'aspect terreux. Elle est rougeâtre

ou légèrement jaunâtre, avec des nuances. Sa poussière est rougeâtre. Son principal usage réside dans l'industrie de la **céramique**. C'est un minerai dont on extrait l'**aluminium**. Les principaux gisements sont en France, Allemagne, Italie, États-Unis et Venezuela.

De la bauxite, on extrait l'aluminium qui a des applications depuis la céramique jusqu'à la fabrication de boîtes et bidons.

BAUXITE	
Dureté (échelle de Mohs)	n'est pas mesurable
Densité	2,5
Cristallisation	ne cristallise pas

LA LIMONITE

C'est un **oxyde hydraté de fer** qui forme des masses à l'éclat terne et de couleur jaunâtre, brune ou noirâtre. Sa poussière est ocre.

On trouve ce minéral en quantités variables dans les terres inondées et les marais, formant des masses argileuses. On l'utilise comme minerai de **fer** et pour fabriquer des **pigments**. Ses principaux gisements sont en Amérique du Nord, mais aussi un peu partout sur la planète.

On obtient des pigments jaunes à partir de la limonite.

LIMONITE	
Dureté (échelle de Mohs)	5 - 5,5
Densité	3,5 - 4
Cristallisation	ne cristallise pas

LE SEL GEMME

C'est la forme cristallisée du sel de cuisine, c'est-à-dire le **chlorure de sodium**. Il est blanc, brun jaunâtre ou incolore, souvent avec

L'immense saline d'Uyuni (en Bolivie), après l'assèchement des eaux pendant la saison chaude.

des impuretés, facilement identifiable au goût. Il finit par se dissoudre s'il est maintenu dans un endroit humide ; il faut donc le garder dans un récipient fermé et sec. Il est transparent à l'éclat vitreux et sa poussière est de la même couleur que lui. Il sert principalement à produire du sel commun. Il se forme sur toutes les côtes par évaporation de l'eau ; il forme aussi des dépôts à l'intérieur des terres, comme les mines de sel de divers pays d'Europe centrale.

SEL GEMME	
Dureté (échelle de Mohs)	2,5
Densité	2,1 - 2,6
Cristallisation	cubique

LA FLUORITE

Il s'agit d'un **sel de fluor et de calcium** incolore ou de couleur variable (bleue, brune, jaune, rougeâtre…). Elle forme souvent des

franges. Elle a peu d'éclat, sa poussière est blanche et elle se rencontre souvent associée à d'autres minéraux comme la **galène**, le quartzite, le quartz, etc. Elle sert à la fabrication des émaux et du cristal, pour produire de l'**acide fluorhydrique** et participe à divers processus industriels des aciéries. On l'emploie en bijouterie ainsi que pour décorer des objets, comme des vases. Elle abonde en Europe occidentale et en Amérique du Nord.

La fabrication d'émaux est l'une des applications de la fluorite.

FLUORITE	
Dureté (échelle de Mohs)	4
Densité	3,01 - 3,25
Cristallisation	cubique

LES CARBONATES ET BORATES

Les carbonates forment un groupe de minéraux très fréquents dans la croûte terrestre. Ils sont les constituants essentiels des roches calcaires. Leur dureté est relativement faible ; ils jouent un rôle important dans la construction, comme pierres de taille ou pour obtenir de la chaux vive. Les borates constituent un groupe de minéraux contenant tous du bore, mais très différents les uns des autres.

LA MALACHITE

C'est un **carbonate de cuivre** hydraté, très caractéristique, d'un vert intense et à l'éclat vitreux ou adamantin. Sa poussière est vert pâle. Elle se dissout lorsqu'on la traite à l'**acide chlorhydrique**. Elle forme des masses cristallisées. Elle est très appréciée comme **pierre ornementale** pour des plateaux de table ou des petits récipients. Les principaux gisements se trouvent en Russie, mais sont aussi abondants en Australie.

Un échantillon de malachite à l'état brut (à gauche) et poli (à droite).

MALACHITE	
Dureté (échelle de Mohs)	4
Densité	3,8
Cristallisation	monoclinique

LA CALCITE

Il s'agit de **carbonate de calcium** blanc ou incolore qui prend parfois des colorations variées, même sombres, dues à des impuretés. La calcite produit des bulles au contact de l'acide chlorhydrique. Son éclat est vitreux ou terreux et sa poussière blanche ou grisâtre. C'est un matériau très utile dans la construction pour faire du **ciment** et de la **chaux**, mais aussi dans l'agriculture pour amender les sols. On en trouve sur tous les terrains calcaires.

Les Incas construisirent leurs temples colossaux (comme la pyramide du Devin à Uxmal au Mexique) avec des blocs de calcite.

CALCITE	
Dureté (échelle de Mohs)	3
Densité	2,7
Cristallisation	rhomboédrique

LA DOLOMITE

C'est un **carbonate double de magnésium et de calcium** qui se présente sous forme de cristaux blancs, bruns, grisâtres y compris rougeâtres. Son éclat est vitreux et sa poussière est blanche ou de sa couleur externe. La dolomite réagit violemment à l'acide chlorhydrique. Elle est utilisée comme pierre de taille, mais aussi pour fabriquer de la **magnésie** ou obtenir du **magnésium**. Elle est abondante dans une grande partie de l'Europe, en Amérique du Nord, au Brésil et en Afrique du Sud.

Le magnésium est un élément nutritif de grande importance pour le métabolisme des végétaux.

DOLOMITE	
Dureté (échelle de Mohs)	3,5 - 4
Densité	3
Cristallisation	rhomboédrique

LE SPATH D'ISLANDE

Il s'agit de **carbonate de calcium** qui constitue une variété spéciale de la calcite. Il se caractérise par une **double réfraction** appelée « biréfringence ». On le trouve sous forme de cristaux transparents et sa poussière est blanche. Il est principalement utilisé en optique pour produire des filtres particuliers, des **prismes de polarisation**… Il est présent dans tous les terrains calcaires du monde.

Fragment de spath d'Islande montrant le phénomène de biréfringence (double réfraction).

SPATH D'ISLANDE	
Dureté (échelle de Mohs)	3
Densité	2,7
Cristallisation	rhomboédrique

> Un minéral est **élastique** lorsqu'il récupère sa forme initiale après avoir été déformé. S'il ne la retrouve pas, ce minéral est dit **plastique**.

LA RHODOCHROSITE

Il s'agit d'un **carbonate de manganèse** de couleur rouge sombre ou rosâtre même si, parfois, elle peut être jaunâtre. Son éclat est

RHODOCHROSITE	
Dureté (échelle de Mohs)	3,5 - 4,5
Densité	3,5 - 3,6
Cristallisation	rhomboédrique

vitreux et sa poussière blanche. Elle se présente sous forme de cristaux ou de masses compactes. Elle est souvent combinée à d'autres minéraux. C'est un minéral rare qui n'intéresse que les collectionneurs. Les meilleurs gisements se trouvent en Allemagne, Roumanie, Grande-Bretagne et aux États-Unis.

Échantillon de rhodochrosite.

LA CÉRUSITE

Il s'agit de **carbonate de plomb** en général blanc, parfois bleuâtre ou grisâtre. Son éclat est adamantin et sa poussière incolore.

La cérusite se présente sous forme de cristaux allongés translucides, la plupart du temps agglutinés. C'est principalement un minerai de **plomb**. Les gisements importants se situent en Europe centrale, Sibérie, Namibie, à Tunis, en Australie et Amérique du Nord.

CÉRUSITE	
Dureté (échelle de Mohs)	3 - 3,5
Densité	6,5 - 6,6
Cristallisation	orthorhombique

De la cérusite est extrait le plomb, un métal avec de nombreuses applications. Sur la photographie, on décape des pièces d'or dans un conteneur en plomb, matériau qui résiste à l'action de l'acide sulfurique.

LE BORAX

Il s'agit de **borate hydraté de sodium**. Il forme des masses verdâtres, rosâtres, grises ou bleuâtres. Son éclat est soyeux

BORAX	
Dureté (échelle de Mohs)	2 - 2,5
Densité	1,70 - 1,74
Cristallisation	monoclinique

et sa poussière blanche. Ce minéral est utilisé pour son **bore**, mais aussi comme fondant dans les soudures, ingrédient dans la fabrication des verres et agent nettoyeur. Ses principaux gisements sont dans d'anciens lacs salés d'Amérique du Nord, en Turquie, Argentine et au Tibet.

Le borax s'utilise dans la préparation des creusets de joaillerie, car il protège leurs parois et permet au métal fondu de s'écouler mieux.

LA SINHALITE

Il s'agit d'un **borate de magnésium** et d'aluminium. De couleur vert brunâtre ou jaune, elle présente un éclat vitreux et sa

poussière est jaune. Sa forme est granulaire ou cristalline. La sinhalite est fragile et s'utilise, une fois taillée, pour créer des **bijoux**. Ce minéral peu abondant se trouve dans les graviers gemmifères du Sri Lanka et d'Afrique orientale.

SINHALITE	
Dureté (échelle de Mohs)	6,5
Densité	3,48
Cristallisation	orthorhombique

La sinhalite s'utilise en joaillerie. Pour travailler, les joailliers utilisent une loupe qui grossit 10 fois, formée de trois lentilles spéciales qui évitent les aberrations chromatiques et la sphéricité.

LES SILICATES

Les silicates sont des minéraux qui contiennent du silicium associé à d'autres éléments. Ils constituent la majeure partie de la croûte terrestre, ce qui leur confère une importance économique tant en joaillerie (les pierres précieuses) que dans l'industrie. En plus de leur abondance, ils possèdent une grande diversité, ce qui rend leur identification difficile.

LE ZIRCON

Il se présente sous la forme de petits cristaux ou prismes, transparents ou opaques, de couleur brune, verte, rouge ou bleuâtre, avec diverses tonalités même s'il peut aussi être incolore. Son éclat est adamantin et sa poussière incolore. Le zircon est souvent associé aux **roches granitiques**. Il s'emploie principalement en joaillerie pour faire des imitations de **diamant**. Ses principaux gisements sont dans le Sud-Est asiatique et en Australie.

ZIRCON	
Dureté (échelle de Mohs)	7,5
Densité	4,5 - 5
Cristallisation	quadratique

Échantillon de zircon à l'état brut et poli (à droite) et taillé (à gauche).

L'OLIVINE

Il s'agit de **silicate de magnésium et de fer**, connu aussi sous l'appellation de « **chrysolite** », présent sous forme de cristaux ou de masses granuleuses généralement verts ou vert jaunâtre, parfois bruns. Son éclat est gras et sa poussière incolore. Il s'utilise surtout en joaillerie. Ses gisements sont isolés et répartis dans tout le monde : Norvège, Australie, Brésil, Amérique du Nord…

OLIVINE	
Dureté (échelle de Mohs)	6,5 - 7
Densité	3,34
Cristallisation	orthorhombique

Échantillon d'olivine.

VÉSUVIANITE

Son nom vient du Vésuve (volcan italien) qui fut le premier endroit où ce minéral fut trouvé. C'est un **silicate** de différents éléments (aluminium, calcium, magnésium, fer), de couleur jaune sale, verdâtre ou bleuâtre, avec un aspect vitreux ou gras ; sa poussière est blanche. C'est un minéral translucide et fragile qui ne s'utilise qu'en **joaillerie**. Hormis sur le Vésuve, on la trouve dans d'autres lieux : Suisse, Russie, Kenya, Brésil, Mexique…

VÉSUVIANITE	
Dureté (échelle de Mohs)	6,5
Densité	3,2 - 3,4
Cristallisation	orthorhombique

Échantillon de vésuvianite, à l'état brut, appelée également idocrase.

LA JADÉITE

Il s'agit d'un **silicate d'aluminium et de sodium** de couleur verte, grisâtre, blanche ou bleuâtre. Elle se présente sous forme de masses et rarement en cristaux. Le jade est une variété de jadéite, dure et tenace, qui servait à fabriquer les **haches** aux temps préhistoriques. Son éclat est gras et sa poussière incolore. Il existe plusieurs variétés de jade ; son usage est réservé à la **joaillerie** ou comme **pierre d'ornement** pour divers objets. Ses principaux gisements sont dans l'est de l'Asie, en Amérique centrale et Amérique du Nord.

La jadéite, utilisée par les premiers hommes pour fabriquer leurs outils et armes, fut ensuite considérée par les Chinois comme la matière noble par excellence.

JADÉITE	
Dureté (échelle de Mohs)	6,5 - 7
Densité	3,4
Cristallisation	monoclinique

La **conductibilité** est la propriété d'un minéral à conduire le courant électrique. Il y a des minéraux **conducteurs** (le cuivre) et d'autres **isolants** (le mica).

LA BIOTITE

De la famille des micas, c'est un **silicate** complexe qui contient de l'**aluminium**, du **potassium**, du **magnésium** et du fer.

BIOTITE	
Dureté (échelle de Mohs)	**2,4 - 3,1**
Densité	**2,6 - 3**
Cristallisation	monoclinique

Elle se présente en masses avec des écailles qui se détachent facilement. La biotite est noire avec parfois des tonalités verdâtres. Son éclat est nacré et sa poussière blanche. On la trouve dans la plupart des **roches magmatiques**. Seuls les collectionneurs s'y intéressent. Il en existe des gisements dans les terrains granitiques de toute la planète.

Biotite incrustée dans un bloc de granite.

LA TOPAZE

Il s'agit d'un **silicate de fluor et d'aluminium** qui se présente sous forme de cristaux prismatiques généralement orangés ou jaune

miel, mais il en existe des variétés bleutées, vertes ou roses. Son éclat est vitreux et sa poussière incolore. La topaze est souvent associée à beaucoup d'autres minéraux dans les **roches magmatiques** comme le **granite** ; elle apparaît souvent dans les galets des **dépôts sédimentaires** des fleuves. Il en existe des gisements au Brésil, en Australie, Amérique du Nord, Afrique et dans l'est de l'Asie.

TOPAZE	
Dureté (échelle de Mohs)	8
Densité	**3,5 - 3,6**
Cristallisation	**orthorhombique**

Topaze incrustée dans une roche magmatique.

LA MUSCOVITE

C'est un **silicate** complexe de la famille des micas contenant de l'**aluminium**, du **potassium** et du **fluor**. Elle est transparente,

incolore ou jaunâtre, et se présente sous forme de **feuilles** facilement détachables au doigt. Ce minéral résiste bien à la chaleur, son éclat est nacré et sa poussière blanche. Il en existe de nombreuses variétés et on l'utilise surtout dans l'industrie. Ses principaux gisements sont en Europe centrale, Scandinavie, Australie et en Inde.

MUSCOVITE	
Dureté (échelle de Mohs)	**2 - 3**
Densité	**2,7 - 3,1**
Cristallisation	monoclinique

La muscovite s'utilise principalement comme matériau isolant de la chaleur dans l'électroménager.

LE TALC

C'est un **silicate de magnésium** gris, très difficile à fondre et qui ne se dissout pas dans l'acide. Il forme seulement des agrégats

laminés et il est rarement cristallisé. Son éclat est nacré et sa poussière blanche. Il est destiné à de nombreux usages industriels et, broyé, il sert à préparer la **poudre de talc** utilisée comme produit hygiénique. Les meilleurs gisements se trouvent dans les Pyrénées (sud de la France) et en plus petite quantité en Australie, Afrique du Sud et Canada.

TALC	
Dureté (échelle de Mohs)	1
Densité	**2,58 - 2,83**
Cristallisation	monoclinique

La poudre de talc s'utilise pour adoucir la peau et éviter les irritations.

FELDSPATHS, ARSÉNIURES ET CHROMATES

Les feldspaths sont un groupe de silicates très répandus dans la nature. On les trouve, entre autres roches, dans les granites. Les arséniures sont des combinaisons non oxygénées de l'arsenic avec des métaux. Les chromates sont des silicates, combinaisons oxygénées du chrome avec des métaux.

L'ORTHOSE

C'est un **feldspath** contenant du **potassium** et de l'**aluminium** ; elle se présente en macles ou en cristaux blancs, plus ou moins purs, avec parfois des tonalités rosées. Son éclat est vitreux ou nacré et sa poussière blanche. Ce minéral abonde dans les roches acides, les **gneiss** et les **schistes**. L'orthose sert principalement dans la fabrication de la **porcelaine** et aussi en **joaillerie**. On en trouve partout.

ORTHOSE	
Dureté (échelle de Mohs)	6
Densité	2,57
Cristallisation	monoclinique

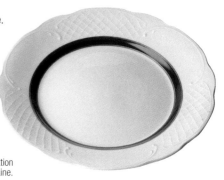

L'orthose s'utilise pour la fabrication des objets en porcelaine.

LA PIERRE DE LUNE

C'est une variété d'**orthose** qui se présente en masses incolores ou jaunâtres, parfois rosées ou bleutées. Aux **rayons X**, elle montre un éclat blanchâtre ou violet. Sinon, son éclat est soyeux et sa poussière blanche. Elle s'utilise en joaillerie et se taille en **cabochon**. On la trouve souvent dans les graviers gemmifères. Ses principaux gisements sont en Inde et au Sri Lanka où sont produits les échantillons les plus appréciés.

PIERRE DE LUNE	
Dureté (échelle de Mohs)	6 - 6,5
Densité	2,56 - 2,62
Cristallisation	monoclinique

Échantillons de pierre de lune aussi appelée « adulaire ».

LA PIERRE DE SOLEIL

C'est une variété de **feldspath aventurine** contenant de l'**aluminium**, du **calcium** et du **sodium**. Elle forme en général des masses orangées, marron ou rougeâtres, parfois verdâtres ou bleutées suivant les impuretés. Son éclat est vitreux et sa poussière blanche. Sous les rayons X, elle a un éclat blanchâtre. Elle s'utilise en joaillerie taillée en **cabochon**. Ses principaux gisements sont en Norvège, Sibérie, Inde, à Madagascar et en Amérique du Nord.

PIERRE DE SOLEIL	
Dureté (échelle de Mohs)	6 - 6,5
Densité	2,64
Cristallisation	triclinique

Pierre de soleil appelée aussi oligoclase.

LE LABRADORITE

C'est un **feldspath** contenant du **sodium**, de l'**aluminium** et du **calcium**. Il forme de grandes masses granulaires avec de grands cristaux. De couleur grise avec des nuances variées, la lumière produit des reflets colorés, surtout bleutés et verdâtres. Son éclat est satiné et sa poussière incolore. Il s'utilise essentiellement en **pierre décorative** dans la construction. On le trouve associé aux **roches magmatiques** dans tout le monde, mais les meilleurs gisements se situent en Scandinavie, Italie, Groenland et Amérique du Nord.

LABRADORITE	
Dureté (échelle de Mohs)	6,3
Densité	2,6
Cristallisation	triclinique

Échantillon de labradorite.

La **ductilité** est la propriété qui permet d'étirer aisément à froid un métal jusqu'à en obtenir des fils, comme on le fait pour l'or et l'argent.

L'AMAZONITE

C'est un **feldspath** chargé de **potassium** et d'**aluminium**, de couleur blanchâtre ou verdâtre, translucide ou opaque. Son éclat

est vitreux et sa poussière blanche. L'amazonite est combinée aux roches de type **métamorphique**. Utilisée en **joaillerie** et pour de petits objets décoratifs, on la trouve principalement en Inde - où elle est de meilleure qualité – ainsi qu'au Sahara, en Afrique du Sud et en Amérique du Nord.

Échantillon d'amazonite.

AMAZONITE	
Dureté (échelle de Mohs)	6 - 6,5
Densité	2,56 - 2,58
Cristallisation	triclinique

LE PLAGIOCLASE

C'est une famille de **feldspaths** contenant de l'**aluminium**, du **sodium** et du **calcium**. Il se présente en masses de cristaux rhombiques ou tabulaires. De couleur blanche, brune, grisâtre, bleutée ou rougeâtre, son éclat est vitreux ou nacré et sa poussière incolore. Il est associé à la majeure partie des roches **métamorphiques** et **magmatiques**. Utilisé en joaillerie, mais aussi dans la fabrication de porcelaine, ce minéral très répandu se trouve partout dans le monde.

Échantillon de plagioclase.

PLAGIOCLASE	
Dureté (échelle de Mohs)	6
Densité	2,6 - 2,7
Cristallisation	triclinique

LA NICKÉLINE

Il s'agit d'un **minéral** du groupe des **arséniures**. Elle forme des masses et cristallise rarement. Sa couleur est noire, grisâtre ou rougeâtre. Elle se dissout dans l'acide nitrique et elle produit, en fondant, une **odeur d'ail** caractéristique. Son éclat est métallique et sa poussière brun noirâtre. Elle est surtout destinée à l'extraction du **nickel**. Ses principaux gisements sont en Allemagne, Russie et Afrique du Sud.

De nombreux objets sont fabriqués avec le nickel et le cupronickel (alliage de cuivre et nickel).

NICKÉLINE	
Dureté (échelle de Mohs)	5 - 5,5
Densité	7,5 - 7,8
Cristallisation	hexagonal

LA CROCOÏTE

C'est un silicate du groupe des **chromates** qui contient du **chrome** et du **plomb**. Il se présente en masses avec des cristaux allongés. Sa couleur est rougeâtre ou rosée, avec diverses tonalités. Son éclat est vitreux ou adamantin et sa poussière orange jaunâtre. Ce minéral peut se couper ; il n'intéresse que les collectionneurs. Ses principaux gisements sont en Oural, Roumanie, aux Philippines et aux États-Unis.

Échantillon de crocoïte.

CROCOÏTE	
Dureté (échelle de Mohs)	2,5 - 3
Densité	5,9 - 6,1
Cristallisation	monoclinique

LES BÉRYLS, TOURMALINES ET TUNGSTATES

Les béryls, comme les tourmalines, appartiennent au groupe étendu des silicates. Les premiers sont des silicates d'aluminium et de béryl qui présentent une grande diversité de coloris. Les tourmalines sont des silicates très complexes avec des éléments variés. Les tungstates sont un groupe de minéraux qui contiennent du tungstène ; ils ont une grande importance dans l'industrie.

L'ÉMERAUDE

C'est l'un des **béryls** les plus connus. Elle est formée de cristaux hexagonaux de couleur verte due à la présence d'impuretés de chrome. Son éclat est vitreux et, observée sous un filtre particulier (de Chelsea), elle produit un éclat rougeâtre qui n'apparaît pas dans les pierres d'imitation, mais est beaucoup plus intense dans les émeraudes synthétiques. L'émeraude est très appréciée en **joaillerie** depuis l'Antiquité ; ses principaux gisements actuels se situent en Colombie (qui produit les meilleures émeraudes), mais aussi dans le sud de l'Afrique, en Russie et Australie.

ÉMERAUDE	
Dureté (échelle de Mohs)	7,5
Densité	2,71
Cristallisation	hexagonal

Émeraude à l'état brut.

L'AIGUE-MARINE

C'est une variété de **béryl** de couleur bleue, plus ou moins pure, ou avec des tonalités verdâtres. Elle présente des cristaux hexagonaux, généralement grands, à double réfraction (**biréfringents**) et d'un éclat vitreux. Observée avec le filtre de Chelsea, elle montre un éclat intense bleu verdâtre. Elle est très recherchée en **joaillerie**. Ses gisements les plus importants sont au Brésil, mais aussi en Oural, à Madagascar, en Irlande, Argentine et Chine.

AIGUE-MARINE	
Dureté (échelle de Mohs)	7,5
Densité	2,69
Cristallisation	hexagonal

Aigue-marine
à l'état brut (à droite)
et taillée (à gauche).

L'HÉLIODORE

C'est un **béryl**, jaune doré ou jaune paille, aux caractéristiques similaires à celles de l'aigue-marine : des cristaux hexagonaux, généralement grands et **biréfringents**, d'un éclat vitreux. Il s'utilise en **joaillerie**. Ses gisements les plus importants sont au Brésil, associés à ceux de l'aigue-marine tout comme à Madagascar, en Oural, Amérique du Nord, Irlande, Argentine et Chine.

HÉLIODORE	
Dureté (échelle de Mohs)	7,5
Densité	2,68
Cristallisation	hexagonal

Héliodore à l'état brut (à gauche)
et taillé (à droite).

SCHEELITE

C'est un tungstate de calcium, dont le nom évoque le chimiste suédois C. W. Scheele, découvreur du wolfram. Sa couleur est blanc jaunâtre, sa rayure blanche et son éclat vitreux ou adamantin. Il se présente en cristaux généralement bipyramidaux et certaines fois presque octaédriques, massif et parfois aussi granulaire. On le trouve donc dans des pegmatites granitiques ou dans des dépôts de métamorphisme de contact. C'est une important minerai de wolfram.

SCHEELITE	
Dureté (échelle de Mohs)	4,5 - 5
Densité	5,9 - 6,1
Cristallisation	quadratique

Le wolfram est ajouté à certains aciers pour les doter d'une meilleure résistance.

La **malléabilité** est la propriété d'un minéral qui peut facilement être façonné en lames ou en feuilles.
L'or est le plus malléable de tous les minéraux.

LA MORGANITE

C'est un **béryl** de couleur rose et de tonalité bleutée lorsqu'on l'observe sous certains angles. Elle présente des prismes tubulaires

MORGANITE	
Dureté (échelle de Mohs)	7,5
Densité	2,8
Cristallisation	hexagonal

et, sous les **rayons X**, elle montre un éclat rouge intense. Elle s'utilise en **joaillerie**. Les gisements du Brésil donnent des morganites d'un rose pur. D'autres gisements se situent à Madagascar, en Afrique (centre et sud) et en Californie.

Cristal de morganite.

LA TOURMALINE

C'est un **silicate de bore et d'aluminium** contenant aussi du **fer**, du **manganèse**, du **magnésium** et du **lithium**. Sa couleur

TOURMALINE	
Dureté (échelle de Mohs)	7 - 7,5
Densité	3,02 - 3,26
Cristallisation	rhomboédrique

dépend de sa composition chimique et peut varier du noir (les plus abondantes) jusqu'au rose en passant par le brun, le rouge le vert et le violet. Son éclat est vitreux et sa poussière incolore. Elle s'utilise en **joaillerie**. Ses principaux gisements sont en Europe centrale, Oural, au Groenland, Sri Lanka, en Afrique du Sud, au Brésil et aux États-Unis.

Tourmaline à l'état brut (à gauche) et polie (à droite).

LA WOLFRAMITE

Il s'agit d'un **tungstate** qui contient du **fer** et du **manganèse**. Elle présente des cristaux tabulaires ou prismatiques, noirs ou gris

WOLFRAMITE	
Dureté (échelle de Mohs)	4 - 4,5
Densité	7
Cristallisation	monoclinique

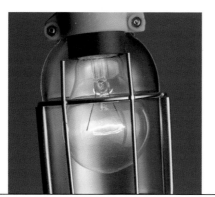

sombre. Son éclat est semi-métallique et sa poussière noire. On la trouve seulement combinée avec d'autres minéraux (tel le cuivre) et dans les **roches granitiques**. On l'utilise essentiellement comme minerai de **tungstène**. Elle est très répandue sur toute la planète.

Le wolfram (également appelé tungstène) s'utilise à l'état pur dans la fabrication des filaments des ampoules électriques.

LA WULFÉNITE

C'est un **molybdate de plomb**. De couleur jaune, orange ou brune, elle a un éclat adamantin ou résineux. Généralement en

WULFÉNITE	
Dureté (échelle de Mohs)	2,5 - 3
Densité	6,5 - 8
Cristallisation	quadratique

cristaux tabulaires ou octaédriques, semi-transparents ou translucides, on la trouve également sous forme de masses granulaires ou compactes. On l'utilise comme minerai de **molybdène**. On la trouve souvent près des minerais de plomb. Ses principaux gisements sont dans les Balkans, en Europe de l'Est, au Maroc, Congo, en Amérique du Nord et en Australie.

Échantillon de wulfénite.

LES GRENATS ET LES SOROSILICATES

Ils constituent un groupe très abondant de silicates. Ils contiennent des quantités variables de calcium, d'aluminium, de fer, de magnésium et d'autres éléments qui leur confèrent des caractéristiques spécifiques. Ces minéraux sont résistants aux acides et d'une dureté élevée. Quant aux sorosilicates, ils n'intéressent que les collectionneurs.

LE GROSSULAIRE

Ce **grenat** contient de l'**aluminium** et du **calcium**. Il est en général formé de cristaux trapézoïdaux ou dodécaédriques transparents ou presque opaques et de couleur verte, brune, rouge, jaunâtre, blanche, noire ou rose. Son éclat est vitreux ou résineux et sa poussière est blanche. On le trouve dans les **marbres** et les diverses **roches métamorphiques**. Il s'utilise en **joaillerie** ou comme **pierre ornementale** pour les objets décoratifs. Ses principaux gisements sont en Russie, au Sri Lanka, Brésil, Amérique du Nord et Afrique du Sud.

GROSSULAIRE	
Dureté (échelle de Mohs)	7 - 7,5
Densité	3,65
Cristallisation	cubique

Échantillon de grossulaire.

LA RHODOLITE

C'est l'un des **grenats rouges** les plus précieux. Elle est constituée de cristaux transparents de couleur généralement rouge ou rose, mais aussi violet pâle. On la trouve dans les **roches plutoniques**, mais également dans les dépôts résultant de l'érosion des roches. Elle s'utilise en **joaillerie**. Sa variété est moins abondante que les autres grenats. Ses principaux gisements sont au Sri Lanka, en Afrique centrale, au Brésil et aux États-Unis.

RHODOLITE	
Dureté (échelle de Mohs)	6,5 - 7,5
Densité	3,74 - 3,94
Cristallisation	cubique

Deux échantillons de rhodolite taillée.

L'ANDRADITE

Ce grenat contient divers éléments donnant lieu à de nombreuses variétés. L'une d'elles s'appelle **démantoïde** (connue sous le nom d'**émeraude de l'Oural**) de couleur verte. La **topazolite** est jaune, comme la topaze, et forme de petits cristaux transparents. La **mélanite** est noir intense. Toutes les variétés sont le plus souvent cristallines et associées à d'autres minéraux. La plupart s'utilisent en joaillerie. Les principaux gisements sont en Russie, Italie, Norvège, Allemagne, Corée et aux États-Unis.

ANDRADITE	
Dureté (échelle de Mohs)	6,5 - 7,5
Densité	3,85
Cristallisation	cubique

La majorité des grenats s'utilisent en joaillerie. Ici, l'établi de travail d'un joaillier.

L'ALMANDIN

Ce **grenat rouge** présente des cristaux très purs, brillants et de couleur intense, qui contiennent de l'aluminium. Il montre parfois des teintes violacées. Les acides ne l'attaquent pas, mais il se casse facilement. Il est répandu dans les **roches métamorphiques** et souvent dans les dépôts sablonneux. Taillé, il s'utilise en **joaillerie** ; broyé, il a des usages industriels comme **abrasif**. Ses principaux gisements sont au Sri Lanka, en Europe centrale, Scandinavie, Inde, à Madagascar, au Brésil et en Tanzanie.

ALMANDIN	
Dureté (échelle de Mohs)	6,5 - 7,5
Densité	3,9 - 4,2
Cristallisation	cubique

Almandin à l'état brut.

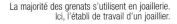

Introduction

La Terre

La collection
de minéraux

Les systèmes
cristallins

Les gemmes

Les minéraux

Les roches

La vie
sur la Terre

La formation
des fossiles

Les espèces
disparues

Les types
de fossiles

Les
dinosaures

Les fossiles
de mammifères

La collection
de fossiles

Les gisements
de fossiles

Index

Un minéral peut être **compact** (on ne peut distinguer ses composants à première vue), **granulaire** (composé de petits grains) ou **filamenteux** (qui a l'aspect de fibres).

LE PYROPE

Il s'agit d'une variété de **grenat** qui contient de l'**aluminium** et du magnésium, avec des impuretés de **fer** et, parfois, également du **chrome**. Le pyrope se présente sous forme

PYROPE	
Dureté (échelle de Mohs)	7 - 7,5
Densité	3,7 - 3,9
Cristallisation	cubique

de cristaux très purs d'un rouge foncé caractéristique. Il possède de légères **propriétés magnétiques**. On trouve du pyrope principalement dans les **roches volcaniques**, dans les conglomérats et dans les dépôts alluvionnaires. On l'utilise en **joaillerie**. Les meilleurs gisements de pyrope se trouvent en Europe centrale (les plus appréciés sont ceux de Bohême), en Grande-Bretagne, en Australie, en Amérique du Sud et en Afrique du Sud.

Le pyrope est un grenat d'aluminium de couleur rouge feu que l'on utilise en joaillerie.

L'OUVAROVITE

Variété de **grenat** qui contient du **chrome** et qui cristallise en cristaux trapézoïdaux ou dodécaédriques. Les cristaux d'ouvarovite sont

OUVAROVITE	
Dureté (échelle de Mohs)	6,5 - 7,2
Densité	3 - 4
Cristallisation	cubique

transparents, translucides ou opaques et possèdent une couleur vert intense. L'ouvarovite possède un éclat vitreux ou résineux et sa trace est blanche. On la trouve associée à de nombreux types de roches. L'ouvarovite est utilisée en **joaillerie**. Les principaux gisements se trouvent dans l'Oural, en Scandinavie, en Espagne, au Canada et en Afrique occidentale.

Échantillon d'ouvarovite.

LA SPESSARTINE

Variété de **grenat** qui contient du **manganèse**. La spessartine se présente généralement sous forme de petits cristaux transparents ou

SPESSARTINE	
Dureté (échelle de Mohs)	6,5 - 7,5
Densité	4,16
Cristallisation	cubique

translucides. Elle est rouge plus ou moins intense, orangée, rose, jaunâtre ou brune. On trouve de la spessartine dans les **granites** et dans les **roches métamorphiques** riches en manganèse. En **joaillerie** ne sont utilisés que les cristaux de grande taille. Les principaux gisements se trouvent en Allemagne et en Italie, ainsi qu'à Madagascar, en Australie, en Amérique du Nord et au Brésil.

Échantillon de spessartine.

L'ILVAÏTE

C'est un **sorosilicate** connu également sous le nom de yénite. L'ilvaïte contient du **calcium** et du **fer**, ainsi que de l'**oxyde de manganèse**.

ILVAÏTE	
Dureté (échelle de Mohs)	5 - 5,6
Densité	3,8 - 4,1
Cristallisation	orthorhombique

Elle se présente sous forme de cristaux prismatiques allongés de couleur noire ou brune. Elle possède un éclat semi-métallique. L'ilvaïte se dissout dans l'acide et fond en formant une masse compacte. On la trouve dans les zones de contact entre les **roches magmatiques** et les **roches calcaires**. Elle n'a d'intérêt que pour les collectionneurs. Les principaux gisements se trouvent en Italie, dans les Balkans et au Groenland.

Échantillon d'ilvaïte.

LES QUARTZ

Les quartz sont des variétés de silicates très répandues. Cristallisés, ils donnent des prismes à six faces terminés par des pyramides. Ils sont de diverses couleurs lorsqu'ils contiennent des impuretés. Ce sont des constituants de nombreuses roches, comme les granites. Leur capacité à vibrer, quand on les soumet à un champ électrique, explique leur utilisation dans la fabrication des montres.

LE CRISTAL DE ROCHE

Appelé également **quartz incolore**, il s'agit d'une variété transparente et cristalline. On le distingue du quartz commun du fait de sa **biréfringence**. Il possède un éclat vitreux et sa poussière est blanche. C'est l'un des minéraux les plus abondants parmi ceux qui constituent l'écorce terrestre. Le cristal de roche se présente autant sous forme de cristaux isolés que sous forme de petits cristaux situés à l'intérieur d'autres minéraux ou de roches. Le cristal de roche forme également le sable. On utilise le cristal de roche pour fabriquer des objets de **verrerie** et de la **porcelaine**, et également comme matériau de **construction**.

CRISTAL DE ROCHE	
Dureté (échelle de Mohs)	7
Densité	2,65
Cristallisation	hexagonal

Le quartz possède de nombreux emplois. Avec du quartz on peut fabriquer des objets de verrerie, des éléments optiques, des transistors, des montres et même des pièces de joaillerie.

L'AMÉTHYSTE

Variété de **quartz** dont la couleur varie entre le pourpre plus ou moins obscur et le violet clair. L'améthyste se présente sous forme de cristaux qui présentent une couleur plus intense au niveau de leurs extrémités. Son éclat est vitreux et sa poussière blanche. L'améthyste change de couleur en fonction de l'angle de vision, passant du pourpre rougeâtre au pourpre bleuté. Elle est sensible à la chaleur et peut acquérir des teintes vertes, jaunes ou brunes. On la trouve dans les **roches magmatiques**. Elle est utilisée en **joaillerie** et pour les objets décoratifs. Les principaux gisements se trouvent dans l'Oural, au Brésil, en Australie et en Zambie.

AMÉTHYSTE	
Dureté (échelle de Mohs)	7
Densité	2,65
Cristallisation	hexagonal

Échantillon d'améthyste brut.

LE QUARTZ BRUN

Il s'agit d'une variété de **quartz** qui comporte parfois des inclusions de **titane**. Il présente une couleur qui va du brun jaunâtre au noir. Il apparaît sous forme de prismes hexagonaux, possède un éclat vitreux et sa poussière est blanche. On utilise le quartz brun en **joaillerie** et les pierres les plus sombres sont traitées thermiquement pour atténuer leur couleur. On trouve du quartz brun dans de nombreux endroits, principalement dans les Alpes, la péninsule Ibérique, l'Australie et au Japon.

QUARTZ BRUN	
Dureté (échelle de Mohs)	7
Densité	2,65
Cristallisation	hexagonal

Échantillon de quartz brun.

LE QUARTZ FUMÉ

Il s'agit d'une variété de **quartz** connue également sous le nom de **topaze fumée**. Le quartz fumé possède les mêmes caractéristiques et le même aspect que le **cristal de roche**, seule sa couleur diffère de celle du cristal de roche. Quand on chauffe le cristal fumé à plus de 300 °C, il perd sa couleur brune ou grise et devient jaune ou blanc. Il possède un éclat vitreux et sa poussière est blanche. Il ne présente d'intérêt que pour les **collectionneurs**. On trouve du quartz fumé dans le monde entier.

QUARTZ FUMÉ	
Dureté (échelle de Mohs)	7
Densité	2,65
Cristallisation	hexagonal

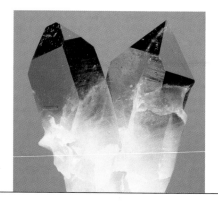

Échantillon de quartz fumé.

Introduction

La Terre

La collection
de minéraux

Les systèmes
cristallins

Les gemmes

Les minéraux

Les roches

La vie
sur la Terre

La formation
des fossiles

Les espèces
disparues

Les types
de fossiles

Les
dinosaures

Les fossiles
de mammifères

La collection
de fossiles

Les gisements
de fossiles

Index

Les propriétés **piézo-électriques** du cristal de quartz sont utilisées pour produire des ultrasons et dans la fabrication de montres de précision.

LE QUARTZ ROSE

Il s'agit d'une variété de **quartz** qui contient des impuretés de **titane** et de **magnésium**. C'est un minéral rare, qui se présente sous forme de cristaux de couleur rose pâle ou rose

QUARTZ ROSE	
Dureté (échelle de Mohs)	7
Densité	2,65
Cristallisation	hexagonal

foncé. Si on soumet le quartz rose à des radiations, il acquiert une teinte sombre. Les cristaux de quartz rose sont fragiles, possèdent un éclat vitreux et une poussière blanche. On l'utilise en joaillerie et dans l'élaboration d'objets décoratifs. Les principaux gisements se trouvent à Madagascar, au Brésil et en Amérique du Nord.

Échantillon de quartz rose.

L'ŒIL-DE-TIGRE

C'est un type de **quartz** qui se caractérise par une structure fibreuse de divers agrégats, ce qui explique qu'il puisse présenter différentes couleurs. Le quartz œil-de-tigre

QUARTZ ŒIL-DE-TIGRE	
Dureté (échelle de Mohs)	7
Densité	2,65
Cristallisation	hexagonal

est semi-transparent et ses différentes fibres de couleur sont bien visibles et disposées parallèlement. Si on le triture, il produit une poudre verdâtre. On l'utilise principalement pour fabriquer des **objets décoratifs** et, une fois travaillé sous forme de boule, il acquiert un aspect qui est à l'origine de son nom « œil-de-tigre ». Il en existe des gisements en Allemagne, en Inde, au Sri Lanka, en Afrique du Sud et en Australie.

Échantillon de quartz œil-de-tigre.

LA CALCÉDOINE

Il s'agit d'une variété de **quartz** composé d'agrégats de cristaux microscopiques. La calcédoine comporte habituellement du **chrome**. Elle se présente sous forme

CALCÉDOINE	
Dureté (échelle de Mohs)	7
Densité	2,65
Cristallisation	hexagonal

de concrétions ou de nodules plus ou moins grands. La calcédoine est généralement blanche ou bleutée, parfois verte. Elle est translucide et sa poussière est blanche. Elle constitue un minéral dont proviennent d'autres minéraux comme les **agates**. Grâce à sa dureté, on l'utilise pour tailler des **objets décoratifs**. Les principaux gisements se trouvent au Brésil, en Inde et à Madagascar.

Collier confectionné à partir de calcédoine teintée.

L'ONYX ET LA SARDOINE

Il s'agit de variétés de **calcédoine** qui présentent des franges de différentes couleurs. Quand ces franges sont blanches

ONYX ET SARDOINE	
Dureté (échelle de Mohs)	7
Densité	2,65
Cristallisation	hexagonal

et noires, on est en présence d'**onyx**, tandis que si elles sont blanches et brun rougeâtre, il s'agit de **sardoine**. Dans certains cas, on peut trouver des exemplaires sans franges, comme l'**onyx noir**, mais il s'agit là d'exceptions. Une fois taillés et polis, l'onyx et la sardoine sont utilisés comme **objets décoratifs**, comme **camées**, etc. Les principaux gisements se trouvent en Amérique du Sud.

Boule d'onyx poli.

LES AGATES, LES SULFATES ET LES HYDROXYDES

Les agates sont des variétés de calcédoine dont elles se différencient par leurs rayures de différentes couleurs. Ce sont donc également des variétés de quartz. Les sulfates, qui sont très abondants dans la nature, sont des composés oxygénés de soufre avec des métaux ou non-métaux. Quant aux hydroxydes, ils forment un petit groupe de minéraux d'origine hydrothermique.

L'AGATE

C'est le minéral typique du groupe des **agates**. L'agate se cristallise en de petits cristaux qui remplissent les cavités des roches et les **géodes**. Sa couleur est très variable (orangée, rouge, brune, bleu grisâtre, grise) formant des franges d'une même couleur, mais avec un large éventail de nuances. On ne peut observer l'agate que lorsque l'on casse la roche qui la contient. Il est alors possible d'en voir les franges. On trouve des agates dans les **roches granitiques**, mais également dans les **roches sédimentaires**. L'agate est présente partout dans le monde.

AGATE	
Dureté (échelle de Mohs)	7
Densité	2,6
Cristallisation	rhomboédrique

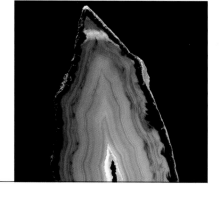
Section polie d'un échantillon d'agate.

L'OPALE

L'opale fait partie du groupe des agates, même si sa composition chimique est légèrement différente dans la mesure où il s'agit d'un hydroxyde de silice. Elle se présente sous forme de masse amorphe, incolore à l'état pur, et qui contient habituellement différentes impuretés qui lui confèrent diverses couleurs. On emploie l'opale en joaillerie sous différentes appellations : **opale d'eau** quand elle est incolore, **opale de feu** si elle est jaune, orange ou rouge. On utilise également comme pierres précieuses l'**opale blanche** et l'**opale noire**. Les principaux gisements actuels se trouvent en Australie.

L'OPALE	
Dureté (échelle de Mohs)	6
Densité	2,1
Cristallisation	amorphe

Échantillon d'opale à l'état brut (à gauche) et polie (à droite).

LA CHRYSOPRASE

Il s'agit d'une variété de **calcédoine** de couleur verte. C'est un minéral translucide qui forme des masses ou des agrégats de petits cristaux. On a beaucoup utilisé la chrysoprase comme pierre ornementale et on l'emploie également en **joaillerie**. Les gisements les plus anciens sont ceux de Bohême, en Europe centrale, mais actuellement on extrait surtout de la chrysoprase en Australie.

CHRYSOPRASE	
Dureté (échelle de Mohs)	7
Densité	2,6
Cristallisation	rhomboédrique

Échantillon de chrysoprase brut (à gauche) et polie (à droite).

LA CROCIDOLITE

C'est un minéral d'aspect fibreux, semblable à l'**amiante**, que l'on appelle également pour cette raison **amiante bleue** ou **amiante du Cap**. On l'inclut dans le groupe des agates du fait de sa similitude avec les quartz fibreux. La crocidolite contient du **sodium**, de l'**aluminium**, du **fer** et d'autres éléments. Elle se présente en cristaux brillants verts ou bleus, formant des lames fibreuses. Elle possède un éclat soyeux et sa poussière est bleue. Elle n'a d'intérêt que pour des **collections**. Les principaux gisements de crocidolite se trouvent en Afrique du Sud, dans les Alpes, en Grande-Bretagne, aux États-Unis et en Bolivie.

CROCIDOLITE	
Dureté (échelle de Mohs)	6
Densité	3
Cristallisation	monoclinique

Échantillon de crocidolite.

Introduction

La Terre

La collection
de minéraux

Les systèmes
cristallins

Les gemmes

Les minéraux

Les roches

La vie
sur la Terre

La formation
des fossiles

Les espèces
disparues

Les types
de fossiles

Les dinosaures

Les fossiles
de mammifères

La collection
de fossiles

Les gisements
de fossiles

Index

 Le **plâtre** est fabriqué par une cuisson du gypse suivie de broyage. Il est utilisé comme marériau de construction et comme engrais. Le plâtre fin à modeler est employé en chirurgie et en art.

LE GYPSE

Le gypse est un **sulfate hydraté de calcium**, également appelé « pierre à plâtre ». Sa forme cristallisée ressemble à une rose, c'est la **rose des sables**. Les acides ne peuvent attaquer le

GYPSOLITE	
Dureté (échelle de Mohs)	1,5 - 2
Densité	2,3
Cristallisation	monoclinique

gypse et lorsqu'on le chauffe, il perd son eau. Il se présente sous forme de cristaux aplatis qui se superposent et se clivent facilement. Il est blanc ou gris, avec des teintes rosées ou orangées. Il présente un éclat nacré et sa poussière est blanche. On le trouve dans les **roches sédimentaires** et dans les **roches calcaires** du monde entier.

Pour immobiliser un membre à la suite d'une fracture, on a l'habitude d'utiliser de la gaze et du plâtre dissous dans l'eau ; en séchant, le plâtre durcit.

LA CÉLESTINE

Il s'agit d'un **sulfate de strontium**. Elle se présente sous forme de prismes, de cristaux tabulaires ou de masses cristallines. La célestine est blanche, verdâtre ou bleutée.

CÉLESTINE	
Dureté (échelle de Mohs)	3 - 3,5
Densité	3,95
Cristallisation	orthorhombique

Elle possède un éclat vitreux et sa poussière est blanche. On la trouve dans différents types de roches (**sédimentaires**, **magmatiques**, etc.). Quand on la pulvérise et qu'elle brûle, la célestine prend une couleur rouge intense. C'est l'un des principaux minerais de **strontium**. La célestine est utilisée dans la fabrication de **feux d'artifice** et de fusées éclairantes. Les principaux gisements se trouvent en Grande-Bretagne, en Sicile, en Afrique du Nord, à Madagascar et en Amérique du Nord.

La célestine est utilisée dans les feux d'artifice.

LA BARYTINE

Connue également sous le nom de **spath pesant**, c'est un **sulfate de baryum**. La barytine se présente sous forme de cristaux tabulaires, plus ou moins prismatiques ou

BARYTINE	
Dureté (échelle de Mohs)	3 - 3,5
Densité	4,4 - 4,6
Cristallisation	orthorhombique

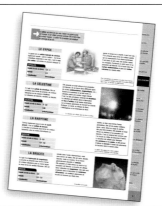

aplatis, ou bien sous forme d'amas granulaires. Elle est de couleur châtaine, jaune, verte, bleue ou rouge et, parfois, elle peut être incolore. Elle possède un éclat vitreux ou résineux et sa poussière est blanche. C'est un minéral très commun que l'on trouve au milieu de beaucoup d'autres. La barytine est utilisée pour fabriquer des **peintures** et du **papier**, et elle permet d'obtenir le **baryum**. Il existe des gisements de barytine dans le monde entier.

Le papier des pages de ce livre contient, parmi d'autres matériaux, de la barytine.

LA BRUCITE

Il s'agit d'un **hydroxyde de magnésium**. La brucite se présente sous forme d'amas de cristaux tabulaires plus ou moins larges ou sous forme de variétés fibreuses. Elle est

BRUCITE	
Dureté (échelle de Mohs)	2,5
Densité	2,3 - 2,5
Cristallisation	rhomboédrique

soluble dans l'acide chlorhydrique, mais sans former de bulles. Elle est verte, bleutée, blanche, rosée ou incolore. On la trouve généralement associée à l'**asbeste**. Elle possède un éclat vitreux ou nacré et sa poussière est blanche. La brucite est utilisée dans l'obtention du **magnésium**. Ses sels sont employés dans la fabrication de **matériaux réfractaires**. Les meilleurs gisements de brucite se trouvent aux États-Unis.

Échantillon de brucite.

LES PHOSPHATES ET LES AUTRES GROUPES

Les phosphates constituent un groupe de minéraux contenant du phosphore, un élément qui n'existe pas à l'état libre dans la nature. Nombre de phosphates subissent des modifications au contact de l'atmosphère et engendrent ainsi la formation d'autres minéraux. Les phosphates sont composés de nombreux éléments, ce qui explique qu'il en existe une grande variété.

TURQUOISE

Il s'agit d'un **phosphate de calcium**, d'**aluminium** et de cuivre. La turquoise se présente généralement sous forme de petits amas, de filons et occasionnellement sous forme de cristaux. Elle est de couleur bleu pâle avec des teintes verdâtres ou alors semblable à la cire. Elle possède un éclat céruléen et sa poussière est blanche ou verte. L'excès de lumière peut altérer sa couleur. On la trouve dans les roches des **régions arides**. On l'utilise comme **pierre ornementale** et en **joaillerie**. Les principaux gisements se trouvent dans la péninsule du Sinaï, en Iran, au Mexique et aux États-Unis.

Échantillons de turquoise à l'état brut.

TURQUOISE	
Dureté (échelle de Mohs)	5 - 6
Densité	2,6 - 2,8
Cristallisation	triclinique

LA VARISCITE

Il s'agit d'un **phosphate d'aluminium**, connu également sous le nom d'**utahlite**. La variscite se présente habituellement sous forme d'amas compacts, d'aspect terreux, rarement sous forme de petits cristaux. Elle est de couleur vert jaunâtre ou vert bleuté. Elle est soluble dans de l'acide chauffé. Elle possède un éclat vitreux ou céruléen et sa poussière est blanche. La variscite est présente dans des roches qui contiennent de l'**aluminium**. On l'utilise comme **pierre ornementale**. Les principaux gisements de variscite se trouvent en Grande-Bretagne, en Europe centrale, en Bolivie et aux États-Unis.

Échantillon de variscite.

VARISCITE	
Dureté (échelle de Mohs)	4,5
Densité	2,4 - 2,6
Cristallisation	orthorhombique

LA BRASILIANITE

C'est un **phosphate de sodium et d'aluminium**, que l'on connaît également sous le nom de **topaze du Brésil**. La brasilianite se présente sous forme de cristaux voyants, de couleur vert jaunâtre ou jaune. Elle possède un éclat vitreux et sa poussière est blanche. On l'utilise en **joaillerie** et c'est un **minéral rare** très apprécié des collectionneurs. Le principal gisement se trouve au Brésil, mais il en existe également quelques-uns aux États-Unis.

Échantillon de brasilianite.

BRASILIANITE	
Dureté (échelle de Mohs)	5,5
Densité	2,89 - 2,99
Cristallisation	monoclinique

LA PYROMORPHITE

Il s'agit d'un **chlorophosphate de plomb**. La pyromorphite se présente sous forme de cristaux prismatiques pas très longs, qui peuvent être accompagnés d'autres cristaux en forme de bipyramide. Les cristaux de pyromorphite, rarement isolés, recouvrent les cavités des roches. La pyromorphite est le plus souvent verte ou jaunâtre, parfois brune. Elle possède un éclat résineux et sa poussière est blanche ou jaunâtre. Elle est fréquente dans les gisements de **galène**. On l'utilise comme minerai de **plomb**. Les principaux gisements se trouvent en Allemagne, en Espagne, en France, en Grande-Bretagne, en République tchèque, en Australie et en Amérique du Nord.

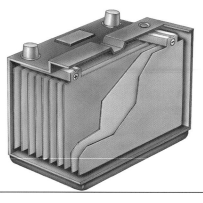

À partir de la pyromorphite on obtient le plomb avec lequel on fabrique, entre autres, les batteries des automobiles.

PYROMORPHITE	
Dureté (échelle de Mohs)	3,5 - 4
Densité	7,04
Cristallisation	hexagonal

On appelle **minéralurgie** l'ensemble des techniques de traitements des minerais afin d'en obtenir des métaux ou tout autre élément utilisable.

L'APATITE

C'est un **phosphate de calcium** qui contient également du **fluor** et du **chlore**. L'apatite se présente sous forme de cristaux de dimensions très variées ou d'amas granulaires. Elle est

APATITE	
Dureté (échelle de Mohs)	5
Densité	3,1 - 3,2
Cristallisation	hexagonal

verte, violette, jaunâtre ou bleue. Les cristaux peuvent être incolores. L'apatite possède un éclat vitreux et sa poussière est blanche. Elle est soluble dans l'acide chlorhydrique et peut perdre sa couleur sous l'effet de la chaleur. On la trouve dans les **roches métamorphiques** et dans les **roches magmatiques**. On l'utilise en **joaillerie** et pour fabriquer des **engrais**. Il existe de l'apatite dans le monde entier, sous différentes variétés.

À partir de l'apatite, on prépare des engrais pour l'agriculture et le jardinage.

LE LAPIS-LAZULI

Il s'agit d'un **silicate de sodium et de calcium** connu également sous le nom de **lazurite**. Il se présente habituellement sous forme de masses granulaires compactes

LAPIS-LAZULI	
Dureté (échelle de Mohs)	5,5
Densité	2,4 - 2,9
Cristallisation	cubique

et plus rarement sous forme de cristaux. Le lapis-lazuli est bleu, avec différents tons qui vont du bleu pourpre au bleu verdâtre. Il se dissout dans l'acide chlorhydrique en dégageant de l'anhydride sulfurique. Il présente généralement une moucheture obscure du fait de la présence de pyrite. C'est un minéral poreux que l'on utilise comme **pierre ornementale** pour des objets. Les principaux gisements se trouvent en Afghanistan, en Russie, au Chili, en Angola et en Amérique du Nord.

Le fameux « Étendard d'Our » est un panneau sumérien du IIIᵉ millénaire av. J.-C. ; il possède de magnifiques incrustations en lapis-lazuli.

LA VANADINITE

Il s'agit d'un **vanadate de plomb** qui contient du **chlore**. La vanadinite se présente sous forme de cristaux hexagonaux, qui peuvent être prismatiques ou incurvés. Sa couleur

VANADINITE	
Dureté (échelle de Mohs)	2,5 - 3
Densité	6,5 - 7
Cristallisation	hexagonal

oscille entre le brun jaunâtre et le rouge, avec un large éventail de nuances intermédiaires. Elle présente un éclat vitreux ou adamantin et sa trace est blanche ou jaunâtre. C'est un **minéral rare** que l'on trouve avec les minerais de plomb. On l'utilise pour l'obtention de **vanadium** et de **plomb**. Les principaux gisements se trouvent en Russie, en Autriche, en Grande-Bretagne, au Zaïre, en Afrique du Nord, en Argentine et en Amérique du Nord.

Échantillon de vanadinite.

LA MIMÉTITE

C'est un **chloro-arséniate de plomb** que l'on connaît également sous le nom de **mimétésite**. La mimétite se présente sous forme de cristaux hexagonaux de taille

MIMÉTITE	
Dureté (échelle de Mohs)	3,5
Densité	7
Cristallisation	hexagonal

moyenne. Ces cristaux peuvent être prismatiques ou incurvés. Elle est de couleur brune, jaune, orangée ou blanche. Elle présente un éclat résineux et sa poussière est blanche. Elle apparaît comme minerai secondaire dans les gisements de **plomb** et on l'utilise pour obtenir ce métal. Les principaux gisements se trouvent en Sibérie, en Europe centrale, en Grande-Bretagne, en France, en Afrique et en Amérique du Nord.

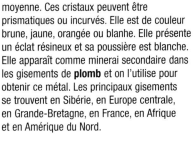

Échantillon de mimétite.

LES ROCHES MAGMATIQUES I

Les roches magmatiques proviennent des grandes masses de magma solidifiées par le refroidissement de la Terre. Elles sont toutes formées par différents silicates qui sont présents dans des proportions variables. Ce sont des roches dures qui forment des paysages caractéristiques. Les plus connues et les plus répandues sont les granites.

LA COMPOSITION DES ROCHES MAGMATIQUES

Ces roches sont constituées par une grande variété de minéraux qui se forment durant la solidification du magma quand il se refroidit. Le **magma**, semi-liquide, oscille entre des températures comprises entre 700 et plusieurs milliers de degrés Celsius. Il forme le manteau terrestre et se compose uniquement de minéraux du groupe des **silicates**. Les roches magmatiques sont donc des silicates de différents types qui, dans certains cas, se sont transformés en atteignant la surface terrestre.

Les Devil's Marbles sont des formations rocheuses caractéristiques de l'Australie septentrionale.

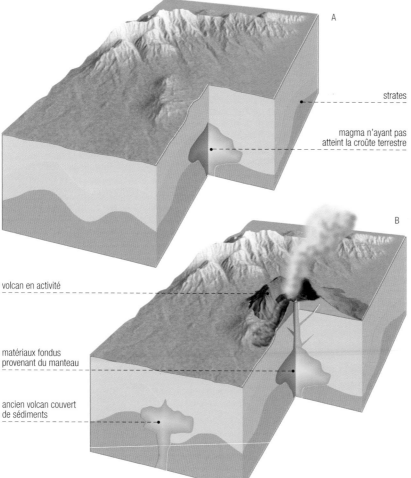

A

strates

magma n'ayant pas atteint la croûte terrestre

volcan en activité

matériaux fondus provenant du manteau

ancien volcan couvert de sédiments

B

Parmi les principaux minéraux formant les roches magmatiques, on trouve le quartz, le feldspath, les micas et l'olivine.

FORMATION

Le **magma** qui se trouve à l'intérieur du **manteau** se trouve à des températures supérieures à 700 °C. Du fait de courants internes qui se produisent dans le manteau, une partie de ce magma arrive dans des zones proches de l'**écorce** terrestre. Le magma se refroidit alors et se solidifie. Dans d'autres cas, ce magma sort directement à l'extérieur, par le cratère d'un **volcan**, en glissant sur la surface de la croûte terrestre. En conséquence, il se refroidit et se solidifie. Ce sont les deux principales façons dont se sont formées toutes les roches magmatiques qui constituent l'écorce de la Terre.

Le schéma A montre comment le magma essaie d'atteindre la croûte terrestre. Dans le schéma B, ce magma a réussi à la casser et sort à l'extérieur sous forme de volcan, provoquant l'apparition de roches volcaniques. On peut également voir, à gauche, un pluton, une masse de magma profond qui s'est solidifiée lentement en roche plutonique.

Coulées volcaniques situées sur la côte du sud de la péninsule Ibérique.

CLASSIFICATION

Les roches magmatiques peuvent être distinguées selon différents critères. Les **plutoniques** se cristallisent dans l'écorce et forment des masses de cristaux réguliers. Les **filoniennes** se solidifient dans des fissures. Les **volcaniques** se solidifient à l'extérieur, à la suite d'éruptions de volcans, et ne forment que peu de cristaux. Les roches magmatiques se classent aussi selon les proportions de **silice** qu'elles contiennent.

LES ROCHES MAGMATIQUES

Type	Définition
acide	contient plus de 66 % de silice
intermédiaire	contient de 52 à 66 % de silice
basique	contient de 45 à 52 % de silice
ultrabasique	contient moins de 45 % de silice

LES CARACTÉRISTIQUES DES ROCHES MAGMATIQUES

De façon très générale, on peut dire que les roches plutoniques acides possèdent des cristaux de grande taille et que les roches acides sont, en règle générale, peu colorées. Ceci s'explique par le fait qu'elles contiennent des cristaux de quartz. À l'opposé, les roches basiques et ultrabasiques sont généralement de couleur sombre ou noire.

L'eau a rempli le cratère du volcan Askia (Islande), actuellement inactif.

TEXTURE DES ROCHES MAGMATIQUES

Type	Définition
aphanitique	composée de cristaux très petits, seulement visibles au microscope.
phanéritique	composée de cristaux de 0,4 mm à 5 mm, visibles à l'œil nu
laminaire	composée de minéraux disposés en franges parallèles
pyroclastique	composée de petits éclats de verre volcanique et de fragments de minéraux
vitreuse	composée de verre d'origine volcanique, disposé de façon uniforme ou sous forme de franges

Les roches magmatiques volcaniques peuvent avoir une composition très différente de celle du magma dont elles proviennent.

roches volcaniques

magma

LES ROCHES MAGMATIQUES II

Nous allons étudier quelques-unes des principales roches magmatiques qui constituent la croûte terrestre. Elles font partie du paysage en affleurant la surface lorsque l'érosion a éliminé les couches de sédiments ou d'autres roches plus tendres situées au-dessus des roches magmatiques. Ce sont des roches qui créent des paysages très sauvages et accidentés.

LE GRANITE

Il s'agit d'une roche **plutonique** à la texture granulaire, avec des grains en général grossiers et parfaitement observables à l'œil nu. Ses principaux composants minéraux sont le **quartz** (gris) et les **feldspaths** (roses, bruns, etc.), auxquels s'ajoutent d'autres minéraux tels que la **biotite** (noire) ou la **muscovite** (blanche). La couleur des granites dépend du mélange et de la proportion de ses composants. On les trouve dans les montagnes et les plissements du monde entier et il existe de nombreuses variétés de granites.

Le granite s'utilise principalement dans la construction, pour fabriquer des murs et des pavés.

LE GABBRO

Cette roche **plutonique** possède un grain très épais. Elle est constituée de **pyroxènes** et d'**olivine**. Il existe de nombreuses variétés de gabbro. Il est généralement gris et sa couleur varie entre le verdâtre et le presque noir. Il se présente sous forme d'amas, généralement de moindre dimension que les granites. On trouve des gabbros surtout en Amérique du Nord et dans la partie septentrionale de l'Europe.

Échantillon de gabbro.

On emploie les gabbros dans la construction et aussi pour obtenir du nickel, du fer et du cuivre.

LA DOLÉRITE

Il s'agit d'une roche filonienne basique au grain généralement fin, formée de **pyroxène** et de **plagioclase**, souvent aussi d'**olivine** et de **biotite**. La dolérite est brun grisâtre ou gris obscur. Les inclusions de minéral peuvent se voir à la loupe. La dolérite s'érode facilement et les surfaces de dolérite exposées à l'atmosphère se transforment et acquièrent une couleur différente. On trouve beaucoup de dolérite en Amérique du Nord.

Échantillon de dolérite.

La dolérite est utilisée en construction, principalement pour le dallage.

LA RHYOLITE

Il s'agit d'une roche **volcanique** acide ou à grains très fins. La rhyolite a généralement un poids relativement modeste et possède une couleur claire, entre l'ocre et le gris. Elle est composée de **quartz** et de **feldspaths**, auxquels il faut ajouter la **biotite** et la **muscovite** selon les variétés de rhyolite. Elle se présente sous forme de rivières de lave très épaisse. C'est une roche très commune que l'on trouve partout.

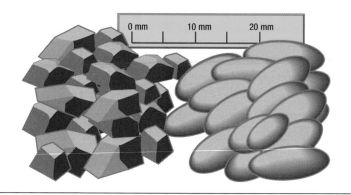

La rhyolite s'utilise comme gravier.

L'OBSIDIENNE

C'est une roche **volcanique** vitreuse, de couleur noire ou brun très sombre. L'obsidienne possède un intense éclat vitreux. Il s'agit d'un **verre** d'origine volcanique, qui possède une composition chimique variable. On trouve de l'obsidienne partout dans le monde, spécialement dans les rivières de **lave solidifiée** qui se refroidirent très rapidement.

Les îles Galápagos, d'origine volcanique, comportent d'importants plateaux de lave solidifiée, comme celui-ci de l'île Santiago.

APLITE

Roche magmatique filonienne de couleur claire au grain régulier petit jusqu'à fin. Elle se présente dans la nature en filons de quelques centimètres jusqu'à plusieurs mètres de largeur. Ses principaux composants minéraux sont le quartz, le feldspath alcalin, le plagioclase et les feldspathoïdes. Lorsque son grain est plus gros, il se nomme pegmatite. L'aplite se trouve dans les zones granitiques du monde entier ; il est souvent utilisé comme matériau de construction.

Dyke d'aplite encastré dans du granit altéré.

 Le basalte s'utilise comme minerai de fer et de cuivre. On l'emploie également pour produire des graviers.

LE BASALTE

Il s'agit d'une roche à texture **aphanitique** et fluide. Le basalte est de couleur noire ou gris verdâtre foncé. Ses principaux composants sont les **pyroxènes** et les **plagioclases**, ainsi que l'**olivine**, la **biotite** et le **fer**. Les basaltes forment des masses plus ou moins étendues et des rivières de lave. C'est la **roche volcanique** la plus répandue dans la nature. Il existe différentes variétés de basalte qui se différencient les unes des autres, surtout par leur composition chimique.

Les statues géantes (ou *moai*) de l'île de Pâques (au Chili) sont taillées dans le basalte du volcan Rano Raraku. On ne connaît pas la signification de ces figures.

On utilise l'obsidienne comme pierre ornementale et pour fabriquer de petits objets décoratifs.

LA PIERRE PONCE

Connue également sous le nom de **ponce**, il s'agit d'une roche très **poreuse** et légère. Elle est de couleur blanche, gris clair ou crème, et quand elle est exposée en plein air, elle devient plus sombre et prend une teinte ocre. Elle est formée par de l'**écume de verre** produite pendant la formation des roches **volcaniques**. On trouve de la pierre ponce dans les régions volcaniques du monde entier.

La pierre ponce est utilisée pour l'hygiène de la peau et aussi comme abrasif industriel.

LES ROCHES SÉDIMENTAIRES I

À la différence des autres types de roches, les roches sédimentaires sont formées à partir de matériaux déposés sur la surface de la croûte terrestre, matériaux qui ensuite s'enfoncent plus ou moins et subissent différentes modifications qui altèrent leur structure physique et chimique. Il s'agit d'un type de roche très répandu, tant dans les terrains montagneux que dans les plaines.

LA FORMATION

Pour qu'une roche sédimentaire puisse se former, quatre étapes successives sont fondamentales. La première est l'**érosion** (vent, eau, glace, etc.) qui altère la surface de l'écorce terrestre, réduisant les roches à de petites particules. Ces matériaux subissent ensuite un **transport** (par l'intermédiaire de l'eau, du vent, etc.) jusqu'à ce que la force transporteuse cesse. Il se produit alors une **sédimentation** : les particules de roches se déposent sur l'écorce terrestre pour former des couches chaque fois plus épaisses. Ces sédiments subissent des forces de **compression** (par leur propre poids) et l'influence d'autres facteurs (chimiques, thermiques, etc.) donnant naissance à des roches sédimentaires.

Le battement de l'eau contre les rochers les casse et les érode, dévoilant ainsi l'histoire géologique des roches.

La construction d'une route fait apparaître les strates et les roches sédimentaires.

Le processus de transformation des sédiments en roche s'appelle **diagenèse**.

LIRE DANS LES ROCHES

Quand l'érosion ou une faille laissent à découvert une coupe dans un terrain de roches sédimentaires, nous pouvons souvent lire, dans la disposition des **strates** qui formèrent les roches, les conditions qui régnèrent durant ces temps reculés et le mode d'apparition des sédiments. L'eau et le vent laissent des couches linéaires avec des matériaux charriés. La couleur de la roche indique la composition des éléments qui se trouvaient dans tres sédiments (par exemple la végétation).

UN CLASSEMENT D'APRÈS LEUR ORIGINE

Type	Définition
détritique	formée par divers débris (roches, minéraux, etc.) cassés et agglutinés
chimique	formée par des précipitations d'éléments minéraux dans l'eau
organique	formée par des restes d'origine végétale ou animale minéralisés

Les carrières permettent également d'étudier le passé géologique d'un terrain.

Les sédiments récents, bien que compactés, ne forment pas encore une roche parce qu'ils n'ont pas subi de diagenèse.

ROCHES DÉTRITIQUES

Elles sont formées par des matériaux transportés sous forme solide ou granulaire jusqu'au lieu de sédimentation définitif où elles subissent une transformation finale. Elles apparaissent à la suite de la disparition d'une roche antérieure. Le **grès** est, par exemple, une roche sédimentaire détritique.

ROCHES CHIMIQUES

Elles sont formées par des matériaux transportés en dissolution jusqu'au lieu de sédimentation définitif où elles subissent la transformation finale. Elles forment une masse solide et apparaissent dans le fond des mers ou des lacs. Par exemple, le **calcaire karstique** est une roche sédimentaire chimique.

L'eau creuse de profonds ravins dans les roches les plus tendres et les entraîne jusqu'à la mer où elles se déposent et, avec le temps, se transforment, engendrant les roches chimiques. Sur la photographie, le Canyonlands (Utah, États-Unis).

ROCHES ORGANIQUES

Elles sont formées par des matériaux d'origine animale et végétale transportés jusqu'au lieu de sédimentation définitif où elles subissent une transformation finale. Elles forment une masse solide et apparaissent dans le fond des mers et des lacs. Le charbon est une roche organique.

Le vent contribue également à éroder les roches, en particulier les grès. Sur la photographie, le Turret Arch (Utah, États-Unis).

L'ORIGINE DES ROCHES SÉDIMENTAIRES

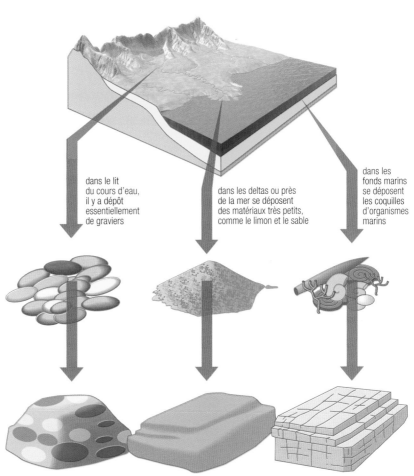

dans le lit du cours d'eau, il y a dépôt essentiellement de graviers

dans les deltas ou près de la mer se déposent des matériaux très petits, comme le limon et le sable

dans les fonds marins se déposent les coquilles d'organismes marins

avec le temps et le poids des différentes couches se forment les conglomérats

avec le temps et le poids des couches successives se forment les grès

avec le temps et le poids des différentes couches se forment les calcaires

LA GRANULOMÉTRIE DES ROCHES À GRAINS NON CIMENTÉS

Diamètre (mm)	Type	Exemple
plus de 2	graviers, cailloux, galets, etc.	conglomérats, brèches
entre 0,02 et 2	sables	grès
moins de 0,02	limons, argiles	schiste, argile

LA SUPERPOSITION DES STRATES

Les roches sédimentaires se présentent sous forme de strates, en général horizontales, la plus ancienne étant le support de la plus récente. Deux strates sont **concordantes** quand la strate inférieure n'a pas subi d'érosion ou de plissement.

 De nombreuses roches sédimentaires sont poreuses, avec une capacité de rétention d'eau, ce qui favorise le développement de la végétation.

LES ROCHES SÉDIMENTAIRES II

Il y a une grande variété de roches sédimentaires réparties partout dans le monde. Elles possèdent souvent des couleurs vives qui donnent aux paysages une certaine splendeur. Les sols se forment avec plus de facilité sur ces roches que sur les roches magmatiques. Les roches sédimentaires ont ainsi une grande importance pour la végétation, donc pour l'ensemble des écosystèmes terrestres.

LE GRÈS

Roche **détritique** formée par des grains de sable qui peuvent être ou non cimentés par la **silice**, ce qui engendre des grès durs ou tendres selon les cas. Les grès présentent une **texture cristalline** et possèdent une couleur brune, ocre ou rougeâtre, même si parfois ils peuvent présenter d'autres tonalités du fait des impuretés. Les grès sont très abondants dans le monde entier et sont utilisés principalement dans la construction.

Aspect du grès.

L'ARKOSE

Les arkoses sont des **grès** de quartz qui contiennent une grande quantité de **feldspaths** et parfois un peu de **mica**. Des grains le plus souvent moyens, parfois même fins, constituent sa texture. Les arkoses sont ocres, roses ou grises. On les utilise comme **pierres pour les moulins** et dans la construction. On trouve des arkoses partout dans le monde.

Deux anciennes roues de moulin.
Elles servaient pour moudre la farine.

LA GRAUWACKE

C'est une variété de **grès** à grains fins qui possède une couleur gris sombre, gris verdâtre ou brun foncé. La grauwacke contient du **quartz** et des débris incrustés de roche de très petite taille. Elle se forme dans les fosses océaniques. Les grauwackes apparaissent principalement sur les bords des vieilles chaînes montagneuses du monde entier.

Aspect de la grauwacke.

LE CALCAIRE

Roche compacte, formée principalement de **carbonate de calcium** et qui, sous l'action de l'acide chlorhydrique, produit des bulles. Le calcaire est blanc, jaunâtre ou gris, bien qu'il existe également des variétés noires. On en trouve partout dans le monde, dans des terrains recouverts autrefois par les mers. Les calcaires contiennent souvent des **fossiles**.

Le fameux sphinx de Gizeh (près du Caire, en Égypte) fut édifié avec des pierres de taille calcaires il y a plus de 4500 ans.

LE SCHISTE ARDOISIER

Roche aux **grains très fins**, formée par une grande variété de minéraux argileux, qui se débite facilement en feuillets. Ces feuillets sont parallèles à la **stratification** originelle du dépôt qui les a formés. Le schiste est le plus souvent gris ou ocre, avec différentes teintes. On trouve des schistes ardoisiers partout et ils sont riches en **fossiles**.

LE GYPSE

Le gypse est un **sulfate hydraté de calcium** souvent appelé « pierre à plâtre ». Il se trouve en masses compactes et grenues, comme l'**albâtre gypseux**, et en cristaux. Il présente un clivage facile. Sa couleur est blanche, parfois jaunâtre ou grise. Le gypse sert à la fabrication du **plâtre** et du **ciment**. Réparti partout dans le monde, il abonde surtout en Europe occidentale.

Le gypse est l'un des matériaux les plus utilisés dans la construction.

LE CHARBON

C'est une roche fragile qui forme des masses compactes de couleur noire plus ou moins intense et qui possède un **éclat métallique** ou **mat**. Le charbon s'émiette facilement et, quand il brûle, il produit une flamme jaune. Il est formé par les restes minéralisés des arbres et d'autres plantes qui se sont déposés dans les terrains marécageux, principalement au cours du **carbonifère**. Parmi les variétés de charbon les plus connues, on distingue l'**anthracite** (d'un beau noir brillant et intense). On utilise le charbon comme combustible.

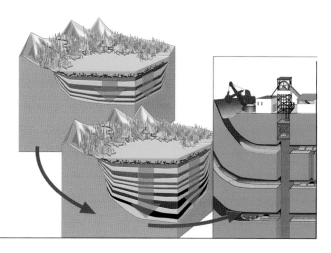

L'accumulation successive de matériaux (restes d'animaux, de plantes, etc.) et le processus de minéralisation produisirent le charbon, un combustible très important au XIXe siècle et durant une bonne partie du XXe.

LA DOLOMIE

Il s'agit d'une variété de **calcaire** compacte à grains fins ou grossiers. La dolomie est de couleur crème ou brun clair. La dolomie se présente habituellement mélangée à d'autres calcaires et contient souvent de petites cavités. On trouve de la dolomie partout dans le monde et on l'utilise comme **gravier** dans la construction.

On utilise la dolomie, sous sa forme pulvérisée, comme matériau en céramique.

LES BRÈCHES

Les brèches sont des conglomérats formés par des fragments anguleux de roche qui sont noyés dans un ciment de nature variée, le plus souvent de la **boue** ou du **sable**. Leur couleur dépend des fragments de roche ou de minéral. On trouve des brèches dans le monde entier et on les utilise généralement comme **graviers**. Les masses les plus compactes sont utilisées également comme pierre ornementale.

LES CONGLOMÉRATS

Un conglomérat est un ensemble cimenté de grains de tailles très diverses, et notamment de **galets**, de **cailloux** et d'autres matériaux aux formes **arrondies** par l'érosion. On trouve habituellement les conglomérats dans les lits des **rivières** ou sur les **plages**. Les conglomérats sont utilisés pour obtenir des graviers et comme pierre ornementale. On trouve des conglomérats partout dans le monde.

Du fait du perpétuel frottement contre les autres roches et de l'action de l'eau des rivières, les blocs de conglomérats sont le plus souvent arrondis.

LES ROCHES MÉTAMORPHIQUES

Les roches métamorphiques résultent de la modification de n'importe quelle roche magmatique ou sédimentaire. Au cours du processus de transformation, la roche change complètement de propriétés physiques et chimiques par rapport à la roche initiale, mais sans en arriver à fondre, car nous aurions alors affaire à une roche magmatique. Ce groupe de roches comprend des roches aussi communes que les gneiss ou les ardoises.

LA FORMATION

Dans l'écorce terrestre, les zones de **roches magmatiques**, formées à partir du magma fondu qui a refroidi, alternent avec les **roches sédimentaires** qui, elles, résultent de la transformation des résidus sédimentés de l'érosion. Quand n'importe quelle roche de ce type se trouve enfouie sous une grande masse de sa propre matière (par accumulation, suite à des plissements, par enfoncement, etc.), elle subit une énorme **pression** et une augmentation de **température**. Les éléments chimiques originaux se combinent alors de manière différente et les cristaux éventuels modifient leur cristallisation. Ce phénomène donne comme résultat une roche comportant les mêmes éléments chimiques que l'original, mais avec des propriétés chimiques et physiques différentes. Elle reçoit le nom de roche métamorphique.

LA TRANSFORMATION DES ROCHES

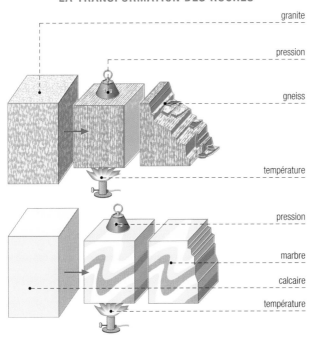

granite
pression
gneiss
température

pression
marbre
calcaire
température

LE CYCLE DES ROCHES

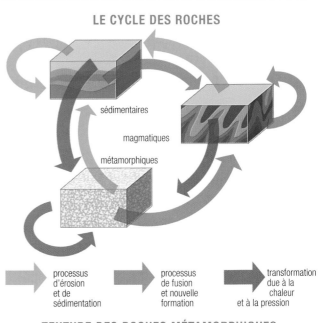

sédimentaires

magmatiques

métamorphiques

processus d'érosion et de sédimentation

processus de fusion et nouvelle formation

transformation due à la chaleur et à la pression

TEXTURE DES ROCHES MÉTAMORPHIQUES

Type	Description
schisteuse	les minéraux se disposent en feuillets
feldspath corné	les minéraux forment une roche compacte à grains fins, avec cassures aux bords effilés
granoblastique	les minéraux se disposent sous forme de grains épais identifiables à l'œil nu
ardoisier	les minéraux forment des cristaux fins et sont disposés sous forme de franges parallèles
rayée	les différents composants sont disposés sous forme de franges observables
type gneiss	les minéraux ont un grain épais et sont disposés sous forme de lames à franges transversales

LES TYPES DE MÉTAMORPHISME

Les facteurs qui provoquent la transformation des roches sont la **pression** et la **température**. Selon la façon dont ces deux éléments agissent, il existe trois types de métamorphisme :

1. **Métamorphisme régional** : lorsque la température et la pression augmentent simultanément. Il se produit généralement au cours des plissements.

2. **Dynamométamorphisme** : quand l'énorme pression des sédiments accumulés agit et transforme alors les roches sédimentaires.

3. **Métamorphisme de contact** : quand l'augmentation de température agit dans des zones de l'écorce terrestre proches du manteau.

Des roches de composition minéralogique différente soumises à des températures et à des pressions identiques peuvent engendrer la même roche métamorphique.

Malgré tous les changements subis, les roches métamorphiques n'en arrivent jamais à fondre.

L'ARDOISE

C'est une roche à **grains fins** qui se clive en minces plaques. L'ardoise est de couleur gris foncé, mais peut comporter des impuretés et adopter des teintes brunes, verdâtres ou bleutées. Elle est formée de **quartz**, de **mica** et de quelques autres minéraux, et provient d'**argiles** et de **limons**. On trouve des gisements d'ardoise partout dans le monde.

L'ardoise est principalement utilisée dans la construction, surtout pour couvrir les toitures.

LE GNEISS

C'est une roche à **grains grossiers**. Sa couleur varie entre le blanchâtre et le gris foncé. Les principaux composants du gneiss sont le **feldspath**, le **mica**, le **quartz** et l'**hornblende**. Le gneiss provient des **granites** et des **roches sédimentaires**. Il apparaît généralement à la base des montagnes de plissement. On trouve du gneiss partout dans le monde.

Le gneiss est utilisé comme matériau de construction et comme pierre ornementale.

LE MARBRE

Le marbre est une roche dure et compacte à grains très fins et à la texture **granoblastique**. Il entre en effervescence au contact de l'acide chlorhydrique. Le marbre peut avoir différentes couleurs, depuis le blanc jusqu'au vert, en passant par la couleur crème, le rouge et le gris. Il comporte souvent des veines et des franges. Son principal composant est le **carbonate de calcium** et le marbre provient de roches **calcaires** ou de **dolomies**. On trouve du marbre partout dans le monde.

Le marbre est employé dans la construction, comme pierre ornementale et pour les sculptures. Sur la photographie, le Taj Mahal (Agra, Inde), tombe de marbre blanc avec des incrustations en pierres précieuses et semi-précieuses, qui fut terminée vers 1650.

Le quartzite est utilisé en construction et comme pierre ornementale.

LE QUARTZITE

Il s'agit d'une roche dure et compacte qui possède des grains très fins et une texture **granoblastique**. Il est couleur blanc pur ou blanc crémeux. Son principal composant est le **quartz** et le quartzite provient du **grès**. On trouve les quartzites toujours associés à d'autres roches métamorphiques.

Le schiste cristallin est uniquement utilisé dans les collections de minéraux.

SCHISTE CRISTALLIN

Il s'agit d'une roche de structure schisteuse qui possède une couleur variable avec des veines. Cette couleur oscille du brun à l'argenté, au noir, au blanc ou au vert. Les principaux composants du schiste cristallin sont la **biotite**, le **quartz** et la **muscovite**. Il provient des **schistes** et des **tuffeaux**. On trouve le schiste cristallin le long des masses de roches magmatiques dont il existe des gisements partout dans le monde.

Aspect du schiste cristallin.

Le *Babouin* en quartzite, sculpture égyptienne datant de 1400 av. J.-C., conservée au British Museum de Londres.

L'HISTOIRE DE LA TERRE

Notre planète, comme n'importe quelle autre planète de l'Univers, n'a pas toujours existé. Elle s'est formée en même temps que le Soleil et que les autres planètes du système solaire, il y a environ cinq milliards d'années, à partir d'un grand nuage de gaz et de poussière qui se condensa et se refroidit peu à peu. Quand apparut la vie, il y a un peu plus de trois milliards d'années, un long processus s'engagea, processus dont les fossiles sont les témoins exceptionnels.

LA TERRE, DES CONDITIONS EXCEPTIONNELLES

Chaque planète du **système solaire** s'est formée à une certaine distance du Soleil. Ce facteur fut très important, car il est à l'origine des grandes différences qui existent entre les diverses planètes du système solaire. En effet, l'éloignement par rapport au Soleil conditionnait les températures ambiantes sur chacune des planètes du système solaire. Pour ce qui est de la Terre en particulier, elle se situe à quelques 150 millions de kilomètres du soleil, distance parfaite pour que des conditions exceptionnelles permettent le développement de la vie.

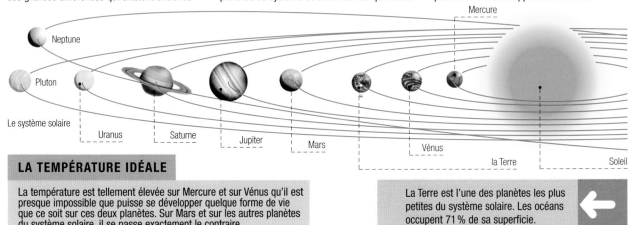

Neptune · Pluton · Le système solaire · Uranus · Saturne · Jupiter · Mars · Vénus · la Terre · Mercure · Soleil

LA TEMPÉRATURE IDÉALE

La température est tellement élevée sur Mercure et sur Vénus qu'il est presque impossible que puisse se développer quelque forme de vie que ce soit sur ces deux planètes. Sur Mars et sur les autres planètes du système solaire, il se passe exactement le contraire.

La Terre est l'une des planètes les plus petites du système solaire. Les océans occupent 71 % de sa superficie.

IL Y A 220 MILLIONS D'ANNÉES

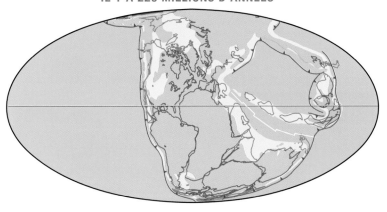

AUJOURD'HUI

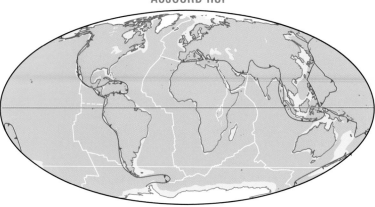

LES MOUVEMENTS DE NOTRE PLANÈTE

Entre la surface et le centre de la Terre, on peut distinguer différentes couches de matériaux. La couche supérieure, l'**écorce**, est solide et flotte sur une grande masse plus ou moins fluide de **magma** située juste en dessous d'elle. Cette écorce bouge et, du fait des forces générées par ce mouvement, se produisent des cassures et des déplacements des différents morceaux formés. Ainsi, au cours du temps, la répartition des **continents** et des **océans** n'a pas toujours été la même. Les continents se sont toujours déplacés depuis que le monde existe et ils continuent à le faire actuellement, mais à une vitesse si réduite que nous ne pouvons le percevoir.

Il y a environ 220 millions d'années, les différents continents de notre planète (en haut) étaient pratiquement tous soudés les uns aux autres. Aujourd'hui (en bas), les continents (sauf l'Europe et l'Asie) sont séparés. Les lignes blanches indiquent les limites des plaques continentales et les lignes rouges, les zones à forte activité sismique.

L'atmosphère originelle de la Terre était dépourvue d'oxygène. Plus tard, elle évoluera jusqu'à devenir l'atmosphère actuelle.

Introduction

La Terre

La collection
de minéraux

Les systèmes
cristallins

Les gemmes

Les minéraux

Les roches

**La vie
sur Terre**

La formation
des fossiles

Les espèces
disparues

Les types
de fossiles

Les dinosaures

Les fossiles
de mammifères

La collection
de fossiles

Les gisements
de fossiles

Index

LES ÈRES GÉOLOGIQUES

L'histoire de la Terre présente différentes grandes périodes durant lesquelles les êtres vivants qui la peuplaient présentaient des caractéristiques bien déterminées. Les premières formes de vie (qui étaient **unicellulaires**) apparurent il y a plus de 2 milliards d'années, au cours d'une période appelée **protérozoïque**. Cependant, il existe très peu de preuves fossiles de cette étape, car, à l'époque, les structures organiques se décomposaient facilement. Les fossiles commencent à apparaître à partir du **phanérozoïque** qui couvre le reste des périodes géologiques jusqu'à nos jours. Tout au long de ces millions d'années se sont succédé les différentes espèces de plantes et d'animaux qu'aujourd'hui nous connaissons à l'état de fossiles et qui furent les ancêtres des espèces actuelles. En ce moment, nous nous trouvons dans le **cénozoïque**, période durant laquelle apparurent les ancêtres de l'espèce humaine dont nous faisons partie : les hominidés.

Reconstitution d'une scène du jurassique, il y a 210 millions d'années. C'était l'époque des grands reptiles (certains commencèrent à voler) et des dinosaures, comme le diplodocus, le stégosaure, le cératosaure et le brontosaure.

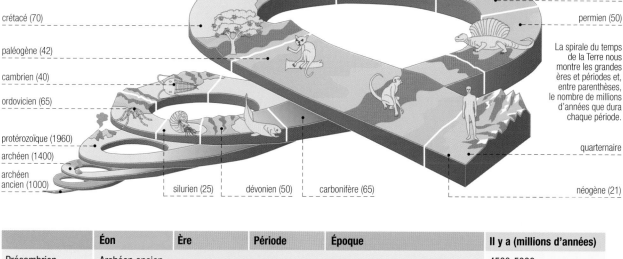

jurassique (70)

trias (40)

permien (50)

crétacé (70)

paléogène (42)

cambrien (40)

ordovicien (65)

protérozoïque (1960)

archéen (1400)

archéen
ancien (1000)

silurien (25)   dévonien (50)   carbonifère (65)

La spirale du temps de la Terre nous montre les grandes ères et périodes et, entre parenthèses, le nombre de millions d'années que dura chaque période.

quarternaire

néogène (21)

Aujourd'hui, nous connaissons l'aspect physique et le mode de vie des dinosaures grâce à l'étude de leurs restes fossilisés.

	Éon	Ère	Période	Époque	Il y a (millions d'années)
Précambrien	Archéen ancien				4500-5000
	Archéen				3900
	Protérozoïque				2500
	Phanérozoïque	Paléozoïque	Cambrien - trilobites, archéociatides		540
			Ordovicien - premiers vertébrés		500
			Silurien - graptolites, placodermes, échinodermes		435
			Dévonien - brachiopodes		410
			Carbonifère - fougères géantes, poissons, amphibiens		360
			Permien - premiers reptiles		295
		Mésozoïque	Trias - mammifères primitifs		245
			Jurassique - dinosaures		205
			Crétacé - premiers oiseaux		135
		Cénozoïque	Paléogène	Paléocène	65
				Éocène	57
				Oligocène	34
			Néogène	Miocène	23
				Pliocène	5
			Quaternaire	Pléistocène	1,6
				Holocène	0,01 (= 10 000 ans)

L'APPARITION DE LA VIE

L'étude de l'origine de la vie a toujours été l'un des thèmes de prédilection de la science. Tout au long de l'Histoire, diverses théories ont été formulées : celle de l'origine divine, celle de la génération spontanée, celle de la vie éternelle et celle de la panspermie. Aujourd'hui, on sait que la vie sur la Terre est le fruit de plusieurs facteurs qui se produisirent conjointement, à un moment donné sur notre planète.

LA THÉORIE DE LA GÉNÉRATION SPONTANÉE

Depuis l'Antiquité, on a pu observer que si on laisse durant quelque temps, à l'air libre, un morceau de viande ou un fruit, ils finissent par être recouverts de vers, de champignons ou d'autres êtres vivants. On a également constaté que, sur une roche lisse, il arrive toujours un moment où apparaissent des lichens et d'autres espèces végétales.
Par le passé, on crut ainsi que la vie pouvait surgir spontanément à partir de la matière inerte. Cette théorie de la génération spontanée fut partagée par des scientifiques renommés jusqu'au XIXe siècle, époque où l'on démontra qu'il n'en était rien.

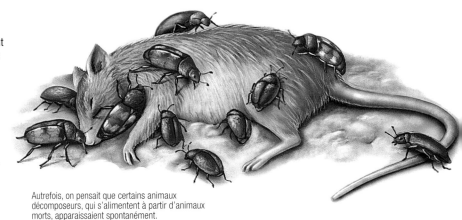

Autrefois, on pensait que certains animaux décomposeurs, qui s'alimentent à partir d'animaux morts, apparaissaient spontanément.

LES BACTÉRIES PRIMITIVES

Les formes de vie les plus anciennes datent d'environ 3,8 milliards d'années. Ce sont des bactéries très simples qui possédaient des éléments photosynthétiques.

Les champignons et les moisissures qui recouvrent les restes organiques proviennent des spores entraînées là par le vent.

Les vers qui se forment sur un morceau de viande exposé à l'air libre sont, en réalité, des larves qui proviennent d'œufs déposés là par des mouches.

Pasteur démontra le caractère erroné de la théorie de la génération spontanée avec du bouillon de culture isolé (en haut) et avec du bouillon de culture exposé à l'air libre (en bas). Dans le premier cas, le bouillon restait incorruptible, tandis que dans le second apparaissaient des micro-organismes.

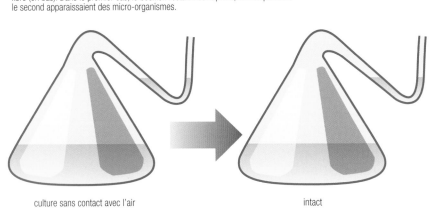

culture sans contact avec l'air

intact

culture en contact avec l'air

prolifération de micro-organismes

L'EXPÉRIENCE DE PASTEUR

Ce ne fut qu'en 1862 que Louis Pasteur démontra la fausseté de la génération spontanée. Il réalisa une série d'expériences dans lesquelles il isolait complètement un bouillon de culture de l'extérieur (empêchant qu'aucune spore ou qu'aucun œuf ne se déposent dans ce bouillon). Il laissait ensuite passer quelques jours, observant qu'aucun être vivant n'apparaissait. Pour s'assurer qu'il ne restait ni spore ni cellule susceptibles de germer, il faisait bouillir le bouillon de culture plusieurs fois. Ce liquide isolé restait intact, tandis que, si on le laissait à l'air, très vite il se remplissait de divers micro-organismes.

LA PANSPERMIE

Théorie qui affirme que, puisque la vie n'est pas apparue spontanément sur la Terre, elle provient d'une autre planète sur laquelle la vie existait déjà.

COMMENT LA VIE EST–ELLE APPARUE ?

Il y a environ 4 milliards d'années, l'atmosphère terrestre était très différente de l'atmosphère actuelle, car elle était presque dépourvue d'oxygène. Dans l'eau de la mer primitive, il existait une multitude d'éléments simples, comme le dioxyde de carbone, l'ammoniaque, le méthane, etc., à partir desquels se formèrent les premières molécules organiques. Par la suite, ces molécules se mélangèrent pour former les macromolécules de protéines d'ADN et d'ARN capables de conserver leur propre structure et de se reproduire. En dernier lieu, elles s'enveloppèrent de membranes protectrices, formant les premières cellules, que l'on peut considérer comme les premiers êtres vivants.

La vie sur la Terre surgit de la combinaison de certains éléments.

Lorsque les premiers organismes photosynthétiques produisirent de l'oxygène dans la mer, une partie s'échappa dans l'atmosphère et la modifia.

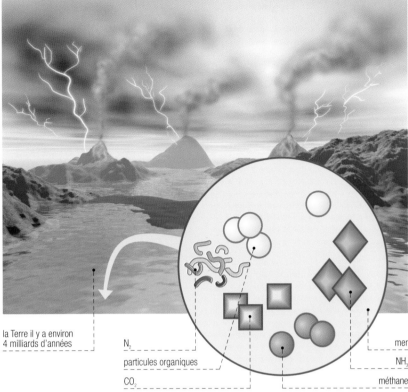

la Terre il y a environ 4 milliards d'années

N$_2$

particules organiques

CO$_2$

mer

NH$_3$

méthane

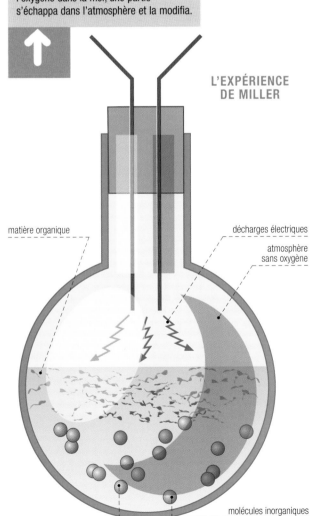

L'EXPÉRIENCE DE MILLER

matière organique

décharges électriques

atmosphère sans oxygène

molécules inorganiques

L'EXPÉRIENCE DE MILLER

Au début des années 1950, le biochimiste S. L. Miller réalisa une expérience au cours de laquelle il parvint à synthétiser des molécules organiques à partir de matière inorganique. À l'intérieur d'un récipient, il plaça un liquide contenant différentes molécules simples en solution. Il laissa ce liquide au contact d'une atmosphère sans oxygène. Il soumit ensuite continuellement ce liquide à des décharges électriques.
Au bout de quelques jours, il trouva à la surface du liquide une couche de matière organique qui s'était formée grâce à l'énergie libérée par les décharges. Les molécules simples s'étaient combinées pour former des molécules organiques complexes (urée, aminoacides, etc.).
L'expérience de Miller avait recré les conditions initiales qui étaient en vigueur sur notre planète.

La couche d'ozone de la Terre se forma à partir de l'oxygène libéré par la mer primitive. Cette couche d'ozone se situe dans la partie supérieure de l'atmosphère et agit comme barrière protectrice contre les rayonnements extérieurs. Sans elle, la vie n'aurait pas été possible hors de l'eau, puisque les rayonnements cosmiques l'auraient anéantie.

L'ÉVOLUTION DES ÊTRES VIVANTS

Les êtres vivants que nous observons aujourd'hui n'ont pas toujours été ce qu'ils sont. Ils résultent d'un grand nombre de modifications subies continuellement par les organismes. Ces modifications permirent aux êtres vivants de s'adapter à leur environnement et d'augmenter ainsi leur capacité de survie. Certaines espèces ne furent pas capables d'évoluer et s'éteignirent. D'autres acquirent de nouveaux caractères qui les rendirent plus compétitives, et elles parvinrent jusqu'à nous.

L'OXYGÈNE DANS L'ATMOSPHÈRE

La proportion d'oxygène commença à augmenter dans l'atmosphère il y a environ 2 milliards d'années grâce à l'activité **photosynthétique** des premiers organismes colonisateurs des mers primitives. L'oxygène, bien qu'indispensable pour la majorité des êtres vivants, est très corrosif. Les premiers organismes qui vécurent en sa présence durent donc acquérir des adaptations appropriées. À partir de ces premières cellules, capables d'utiliser l'oxygène pour respirer, se sont développés tous les êtres vivants, les êtres humains inclus.

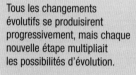
Tous les changements évolutifs se produisirent progressivement, mais chaque nouvelle étape multipliait les possibilités d'évolution.

Le développement de la vie fut possible grâce à une augmentation de la teneur en oxygène de l'atmosphère terrestre, il y a environ 2 milliards d'années.

CHARLES DARWIN

Naturaliste anglais, né en 1809 à Shrewsbury (Royaume-Uni), **Charles Darwin** consacra sa vie à l'étude de la nature. Il fut le premier, avec **Wallace**, à exposer ce que, aujourd'hui, nous connaissons sous le nom d'**évolution** des espèces. Après avoir réalisé un long voyage autour du monde, au cours duquel il put observer la faune et la flore de différents endroits, il écrivit son œuvre principale, *De l'origine des espèces*. Dans ce livre fondamental, Darwin explique sa théorie évolutive fondée sur la **sélection naturelle**.

Darwin observa qu'à partir d'un même ancêtre s'étaient développées, sur plusieurs des îles Galápagos, différentes espèces de pinsons. Sur la photographie, une plage de l'île Española (Galápagos, Équateur).

Sur les îles océaniques, nous pouvons observer comment se déroule l'évolution à cause de la sélection naturelle.

L'ÉVOLUTION EST DUE À DES MUTATIONS GÉNÉTIQUES

Si, à l'époque de Darwin, on ne connaissait pas encore les **lois de l'hérédité** (découvertes par Mendel), aujourd'hui nous avons des preuves que les modifications des caractères des organismes sont dues à des **mutations** génétiques ou aux nouvelles combinaisons de gènes qui ont lieu durant la reproduction. Ces changements peuvent être positifs ou négatifs pour la survie de l'organisme concerné. Nous ne pouvons constater que les changements positifs, puisque ce sont les seuls à perdurer au fil des générations. Les changements négatifs, qui portent atteinte à la survie ou qui l'empêchent, provoquent généralement la mort de l'individu ou font que sa descendance devient chaque fois plus fragile et disparaît très rapidement.

Le chameau est un animal adapté aux dures conditions de vie du désert ; outre le fait qu'il soit capable de supporter de longues périodes sans boire, il accumule dans sa bosse une grande réserve de graisse qu'il utilise pendant les longs voyages ou les périodes de pénurie.

L'aspect que présente chaque animal ou chaque plante n'est pas le fruit du hasard, mais plutôt une preuve de son adaptation à son milieu.

LES FOSSILES : UNE PREUVE DE L'ÉVOLUTION

L'évolution explique les différences entre les espèces actuelles. Mais comment peut-on démontrer qu'il y eut véritablement **évolution** ? La durée de la vie d'un individu n'est pas suffisamment longue pour qu'il soit possible d'observer directement les changements qui se produisent à l'intérieur d'une espèce. C'est pour cette raison qu'il convient d'avoir recours à d'autres preuves. Une des preuves les plus irréfutables que cette évolution eut bien lieu est apportée par les **fossiles**. Lorsque nous avons entre les mains une série de fossiles appartenant à un même groupe, nous pouvons observer que, au fur et à mesure des siècles, ils ont acquis des mutations et ont évolué.

FOSSILES VIVANTS

Ce nom est donné aux espèces d'animaux ou de plantes qui ont à peine subi de modifications au fil du temps, voire même au cours de millions d'années. Un exemple : les nautiles.

La comparaison de divers fossiles semblables, soit d'animaux soit de plantes, permet aux scientifiques de pouvoir suivre l'évolution d'une espèce particulière.

LA FORMATION DES FOSSILES

La science qui étudie les fossiles s'appelle la paléontologie. Grâce aux fossiles, nous pouvons comprendre la structure des êtres vivants du passé et comment ils ont évolué jusqu'à nos jours. L'étude des fossiles nous apporte également de précieux renseignements sur le climat et l'environnement des époques géologiques antérieures.

QU'EST-CE QU'UN FOSSILE ?

Les fossiles sont les preuves de l'existence d'un être vivant du passé. Ce sont des restes d'animaux et de plantes qui sont parvenus jusqu'à nous, tels les os, les carapaces, les feuilles, etc., qui ont été **minéralisés**. Sont également des fossiles les traces laissées par ces êtres vivants (le creux ou moule laissé par leur corps en s'enfouissant dans le sable ou la boue, la trace de leurs pas, les nids où ils ont vécu, etc.), les restes de leurs excréments, les reliquats de leurs repas, etc.

Des arbres fossiles dans la Forêt pétrifiée, un site de la Patagonie argentine.

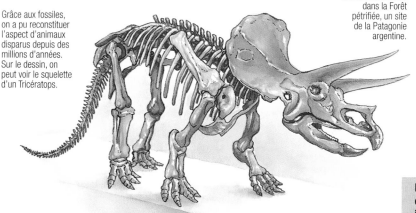

Grâce aux fossiles, on a pu reconstituer l'aspect d'animaux disparus depuis des millions d'années. Sur le dessin, on peut voir le squelette d'un Tricératops.

Une plante fossilisée.

Les fossiles qui correspondent à des traces d'organismes vivants s'appellent des **ichnofossiles**.

 Un fossile se distingue facilement d'un cadavre parce qu'il est formé de matière inorganique ; c'est comme une pierre en forme d'être vivant.

Les anciens lacs et marécages, en s'asséchant, ont piégé de nombreux êtres vivants qui, avec le temps, ont fini par se fossiliser.

COMMENT SE FORMENT LES FOSSILES ?

Nous savons tous que la **matière organique** qui forme le corps des êtres vivants se putréfie et se désagrège rapidement lorsqu'ils meurent. Comment expliquer alors que parvinrent jusqu'à nous les restes d'êtres vivants qui vécurent il y a plus de 500 millions d'années ? En fait, ce que nous contemplons aujourd'hui n'est pas le corps organique de ces êtres vivants (comme cela se passe pour les momies), mais leur corps **pétrifié** : en mourant, ils se figèrent dans des lieux particuliers où la matière organique de leur corps fut remplacée peu à peu par des **substances minérales**, c'est-à-dire qu'ils se transformèrent en pierre.

MOMIES

Ce sont des vestiges qui ont traversé les siècles sans que leur matière organique ne se soit minéralisée. C'est le cas d'organismes qui périrent dans la lave d'un volcan en éruption, dans la résine de conifères ou dans un glacier (comme la momie « Juanita » d'Arequipa, au Pérou).

LE PROCESSUS DE FOSSILISATION

Pour qu'un organisme se fossilise, il est nécessaire qu'un certain nombre de circonstances particulières se produisent. En premier lieu, à sa mort l'organisme doit très vite être enfoui, si possible sous des sédiments très fins, de façon à ce qu'il soit isolé de l'air et de l'eau où commence le processus de **décomposition**. En second lieu, les matériaux qui entourent le cadavre doivent avoir une composition permettant la **minéralisation** du corps, c'est-à-dire le remplacement de la matière organique par de la matière minérale. Dans certains cas, la matière organique elle-même subit des modifications chimiques qui la convertissent en matière minérale.

LA FORMATION D'UN FOSSILE

  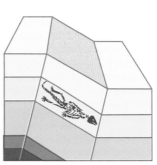 

Juste après la mort, les tissus mous de l'organisme se décomposent et les tissus durs (os, dents) se conservent.

Avec le temps, ces parties dures se recouvrent peu à peu de sédiments et sont substituées par des minéraux.

Les séismes et les failles font que, au bout de plusieurs milliers d'années, le fossile se situe proche de la surface.

L'érosion et les éboulements amènent à l'air libre le fossile, avec toute l'information sur son passé.

 Les fonds marins et les berges des rivières offrent en général de bonnes conditions. On trouve ainsi plus de restes d'organismes aquatiques que d'organismes terrestres.

PARTIES DURES, PARTIES MOLLES

En règle générale, quand un organisme meurt, ses parties molles (viscères, peau, etc.) se décomposent rapidement sous l'action des **bactéries** ou sont dévorées par les organismes qui se nourrissent de cadavres. Pour cette raison, seules les parties dures de l'organisme – telles que les os, les carapaces, les troncs d'arbre épais – ont normalement le temps de se fossiliser.

 Les roches à l'intérieur desquelles on trouve des fossiles sont des roches sédimentaires à grains fins. En général, les strates inférieures sont plus anciennes que les couches supérieures.

L'ambre est une résine fossile à l'intérieur de laquelle sont restés piégés des petites plantes ou des insectes.

LES GRANDES EXTINCTIONS

Dans l'histoire de la Terre, de nombreuses catastrophes naturelles finirent par provoquer la disparition d'un grand nombre d'animaux et de plantes. Des changements climatiques radicaux interrompirent l'évolution de différentes espèces. Seules quelques espèces purent s'adapter à ces modifications et parvinrent jusqu'à notre époque. Ces phénomènes jalonnèrent toute l'histoire géologique. Cependant, à certaines périodes, les changements furent plus intenses et provoquèrent des extinctions massives.

LA PLUS GRANDE EXTINCTION

Les paléontologues déterminèrent au moins cinq moments où la faune et la flore existantes disparurent dans leur quasi-intégralité. Seules quelques formes vivantes survécurent qui évoluèrent vers de nouvelles espèces. Le plus important de ces événements eut lieu au milieu du permien et vit périr 95 % des êtres vivants qui peuplaient la Terre.

Une des causes possibles de ces grandes extinctions fut peut-être le déplacement des continents. Pendant le carbonifère, la distribution de la terre ferme et des mers se trouva bouleversée, changeant les conditions climatiques générales. Il est possible que la majorité des êtres vivants n'ait pu s'adapter à ces changements.

Une autre cause possible de ces extinctions fut la baisse du niveau de la mer qui se produisit à la fin du paléozoïque du fait d'une glaciation.

Les trilobites furent l'un des grands groupes qui disparut dans les glaciations du permien.

ADIEU, TRILOBITES !

Les trilobites furent particulièrement abondants durant le cambrien. Pendant l'ordovicien, il ne restait que 100 des 700 espèces existantes qui commencèrent à décliner pour finalement disparaître à la fin du permien. La disparition des trilobites coïncida avec la disparition de très nombreux **invertébrés marins**.

Dans l'Ouest australien (à Wolf Creek), il existe un énorme cratère causé par le choc d'une météorite. Ce type de cratère est la preuve que, dans des temps reculés, se produisirent de tels impacts.

LA DISPARITION DES DINOSAURES

Il y a environ 65 millions d'années se produisit la seconde extinction massive la plus importante de l'histoire de la Terre. Les dinosaures disparurent ainsi que 80 % des autres êtres vivants.

Dans quelques minéraux formés à la fin du crétacé, il existe des concentrations élevées d'iridium qui laissent à penser qu'à cette époque une météorite dut entrer en collision avec la Terre. Cette météorite devait mesurer plus de 10 km de diamètre et le choc provoqua une grande explosion, entraînant la formation d'un nuage colossal qui recouvrit la surface de la Terre durant des dizaines d'années et empêcha le passage des rayons solaires.

Une théorie soutient que l'impact d'une gigantesque météorite contre la Terre fit naître un nuage de poussière qui laissa dans l'obscurité une bonne partie de la planète pendant des années.

LES AUTRES GRANDES EXTINCTIONS

Pendant toute l'histoire de la Terre se sont produites de nombreuses extinctions massives d'organismes vivants. Au cours de cinq d'entre elles, plus de 60 % des espèces vivantes du moment disparurent. Au cours des vingt et

À la fin du Crétacé, alors que les mammifères évoluaient lentement, les dinosaures gigantesques disparurent, car ils ne purent résister aux changements climatiques ni aux grandes catastrophes naturelles.

une autres catastrophes naturelles, les disparitions furent de moindre envergure, même si 30 à 60 % des espèces existantes disparurent de la surface de la Terre. Les désastres les plus récents se déroulèrent pendant l'éocène (il y a environ 57 millions d'années) et pendant le pliocène (il y a 5 millions d'années).

L'impact d'une grande météorite sur la surface terrestre peut provoquer une explosion de dimensions très supérieures à l'explosion simultanée de plusieurs bombes atomiques.

LES AVANTAGES DES EXTINCTIONS

Même si cela suppose une grande perte de diversité à un moment donné, les espèces qui survivent à un grand changement climatique provoquant une extinction massive se trouvent mieux adaptées que leurs prédécesseurs. Le changement agit comme un filtre sélecteur qui permet

de donner une nouvelle impulsion au développement de la vie. Ainsi, l'extinction des dinosaures, qui furent le groupe dominant pendant des millions d'années, offrit l'opportunité à un groupe, qui jusque-là avait peu d'importance, d'entreprendre son expansion en utilisant ses grandes capacités d'adaptation : il s'agit des mammifères, groupe auquel nous appartenons.

La disparition d'espèces entières laisse libres une multitude de niches écologiques qui rapidement sont occupées par de nouvelles espèces, comme ce fut le cas pour les grands mammifères qui occupèrent la place laissée libre par les dinosaures.

LES CINQ GRANDES EXTINCTIONS

Fin de l'ordovicien, fin du dévonien, fin du permien, fin du trias et fin du crétacé.

LES FOSSILES DE VÉGÉTAUX

Les fossiles de végétaux sont relativement rares et il est difficile d'étudier l'évolution des plantes par leur intermédiaire. La principale cause est la constitution molle du corps des plantes. Cette caractéristique est particulièrement vraie pour les algues, les mousses, les fougères et les plantes herbacées qui, en général, ne présentent pas de tronc ni de tiges épaisses ou d'autres types de structures dures. Elles ne se fossilisent qu'en de très rares occasions.

LES PREMIERS ORGANISMES PHOTOSYNTHÉTIQUES

Il semblerait que pendant le **précambrien**, il y a plus de 2 milliards d'années, il y eut une grande prolifération de bactéries capables de réaliser la photosynthèse. Ces bactéries formaient de grandes masses qui se fossilisèrent sous la forme de roches striées, les **stromatolites**. Ce sont les fossiles les plus anciens que l'on connaît. Si d'autres organismes existèrent avant ces bactéries, aucune trace fossilisée de leur présence n'a été retrouvée. Le grand livre des fossiles s'ouvre donc sur des organismes à **caractéristiques végétales**, mais qui n'étaient pas encore des plantes.

Un échantillon de stromatolite avec ses couches concentriques caractéristiques.

Une feuille de cordaitale, de l'ordre des gymnospermes fossiles qui comprennent les conifères et les cycadales.

 Les scientifiques ont déduit que les organismes qui formèrent les stromatolites devaient beaucoup ressembler aux algues cyanophycées actuelles, que certains chercheurs considèrent comme un groupe de bactéries.

MAILLON MANQUANT

On donne ce nom aux trous qui existent dans une série de fossiles, c'est-à-dire aux formes intermédiaires qui durent exister entre deux fossiles connus, mais que l'on n'a pas encore découvert.

 L'évolution est continue et de nombreuses espèces antérieures existèrent, bien que l'on n'ait pas conservé leurs fossiles.

L'HISTOIRE DES PLANTES

Grâce aux fossiles, nous pouvons retracer une partie de l'évolution des plantes sur notre planète. Des **algues** apparurent d'abord à l'intérieur des mers. On a également découvert des fossiles de certains groupes de **fougères**, et ce depuis le **silurien**. Ces groupes se diversifièrent et engendrèrent d'autres groupes qui sont peu nombreux à avoir survécu. Certains fossiles, comme ceux des **conifères** du **carbonifère** ou des plantes **angiospermes** du **crétacé**, apparaissent de façon soudaine, mais déjà sous forme de plantes complètement développées. Ce que nous ne connaissons pas, ce sont les espèces qui existèrent avant ces plantes.

Pendant le carbonifère, il y a plus de 300 millions d'années, il existait déjà des forêts de conifères semblables à celle-ci de l'État de Washington (États-Unis).

LE CARBONIFÈRE

L'une des périodes les plus riches en fossiles végétaux fut le carbonifère, situé entre le **dévonien** et le **permien**, et qui dura entre 35 et 65 millions d'années (chiffre qui varie suivant les chercheurs). Le climat était chaud et humide, sans grandes variations saisonnières ni géographiques, ce qui explique qu'il fût uniforme partout sur la planète. Les conditions idéales étaient alors réunies pour le développement de forêts luxuriantes de fougères sur lesquelles poussaient des mousses.

Un échantillon fossile de *Flabellaria haeringiana*, de l'holigocène.

Un *Neuropteris* du carbonifère.

On a trouvé des fossiles de fougères de plus de 300 millions d'années. Ces plantes étaient semblables à ces fougères arborescentes de l'île de Java (Indonésie).

→ Les fougères actuelles sont petites et herbacées (sauf exception), mais durant le carbonifère elles formèrent des forêts denses sur toute la planète.

→ Il existe peu de fossiles de champignons. Les plus anciens datent du silurien, mais la plupart appartiennent au carbonifère.

LES PLANTES DONT ON NE CONNAÎT QUE LES FOSSILES

On connaît l'existence de certains groupes de plantes par leurs fossiles. Mais ces espèces disparurent de la surface de la Terre il y a plusieurs millions d'années. Parmi elles nous trouvons les psilophytes, les lépidodendrons, les sigillaires, les sphénopsides, les calamites, les ptéridospermées, les cordaitales et les bennettitales. On a trouvé les **restes fossilisés** de leurs troncs, feuilles, graines et même les traces laissées par les feuilles en tombant sur des sédiments tendres.

Les restes de plantes mortes formèrent de grandes couches qui, plus tard, soumises à de hautes pressions à l'intérieur de l'écorce terrestre, furent transformées en gisements de charbon et de pétrole.

MICROFOSSILES, ÉPONGES ET CŒLENTÉRÉS

Dans la nature, il existe une multitude d'êtres vivants invisibles à l'œil nu. Ces micro-organismes ont vécu sur la Terre depuis la nuit des temps. Aujourd'hui, il nous reste, comme preuve de leur existence, les microfossiles perceptibles seulement à la loupe ou au microscope. Les fossiles des éponges et des cœlentérés (animaux au corps très simple qui peuplent la Terre depuis très longtemps) sont également très intéressants.

LES MICROFOSSILES

L'étude des roches sédimentaires, au **microscope** ou à la **loupe**, montre dans la majorité des cas une grande variété de fossiles de petite taille, aux formes réellement extraordinaires (ovoïdes, étoilées, coniques, hélicoïdales, etc.). Parmi ces fossiles, nous trouvons les radiolaires, les foraminifères, les ciliés, les **silicoflagellés**, les **diatomées**, les tintinides, etc., en général des organismes du **plancton** marin. On trouve également des spores et du pollen de nombreuses espèces végétales.

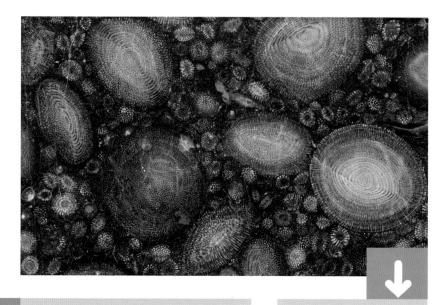

Une roche calcaire polie contenant des carapaces fossiles de nummulites qui pouvaient être microscopiques ou atteindre des tailles allant jusqu'à 10 cm.

En général, les **foraminifères** sont des animaux microscopiques ; cependant, les **fusulinides** (tous disparus) mesuraient entre 8 et 12 mm de long et les **nummulites** (dont la plupart des espèces sont éteintes) atteignirent la taille de 12 cm de diamètre.

L'étude des micro-organismes fossiles dans les roches sédimentaires est un outil très utile pour connaître le climat des époques reculées.

LES SPONGIAIRES (ÉPONGES) FOSSILES

Les éponges ont le corps formé par un ensemble de cellules individuelles, chacune d'entre elles ayant une fonction qui lui est propre. À l'intérieur de cette masse de cellules, il existe de petites structures en forme d'épines, les spicules, qui sont en carbonate de calcium ou en carbonate de silice. L'ensemble des spicules forme une espèce de squelette qui est, dans la majorité des cas, ce qui a perduré sous forme fossilisée. Chaque espèce d'éponge présente des spicules différents, c'est pour cela que, grâce à l'étude de ces structures, nous pouvons savoir que par le passé vécurent de nombreuses espèces d'éponges.

Le registre des fossiles nous montre qu'il existe des éponges depuis le cambrien, bien que la majorité des fossiles de spongiaires appartiennent à l'ère secondaire ou mésozoïque.

Une *Hexactinellida*, un type d'éponge dont nous savons, grâce aux fossiles trouvés, qu'il existait il y a plusieurs millions d'années.

Un *Syphonia piriformis*, un spongiaire fossile.

À la fin du paléozoïque exista un groupe d'organismes similaires aux éponges, mais dépourvus de spicules. Ces organismes, qui ont disparu depuis, se nommaient les **archéocyatidés**.

HEXACTINELLIDES

C'est un groupe d'éponges dont quelques spécimens ont survécu jusqu'à nos jours. On ne les trouve que dans les eaux très profondes des mers et des océans. Les fossiles nous montrent que, par le passé, ce groupe était beaucoup plus important que maintenant et qu'il vivait près de la surface.

LES CŒLENTÉRÉS FOSSILES

Les cœlentérés, ou cnidaires, forment un embranchement zoologique qui inclut les **polypes** (coraux) et les **méduses**. De nombreuses espèces de polypes vivent en colonies sur une structure squelettique commune de nature calcaire ou cornée. En général, les fossiles de cœlentérés que nous trouvons appartiennent à ce type-là, puisque leur squelette a pu se fossiliser. Dans le cas des méduses, il est très difficile de trouver des restes fossiles dans la mesure où leur corps est extrêmement mou. Cependant, on a pu trouver quelques traces laissées par leur corps dans un sédiment tendre.

Un *Isastrea*,
un corail fossile.

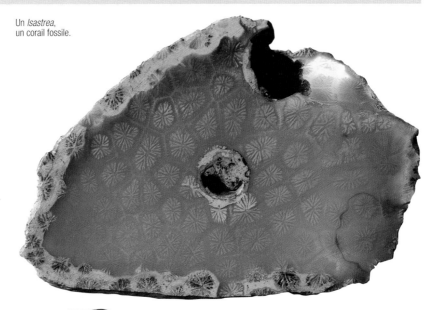

Un *Seaphiocrinus*,
un corail fossile du carbonifère.

UN GROUPE TRÈS ANCIEN

Il n'existe des fossiles de **cœlentérés** que depuis le silurien (il y a plus de 400 millions d'années). Il semblerait qu'avant cette période les espèces qui existaient ne possédaient pas de squelette, raison pour laquelle on ne trouve que très peu de restes. L'étude de ces fossiles démontre qu'à chaque époque géologique vécurent des espèces qui ne parvinrent pas jusqu'à nos jours. Ce groupe est d'une grande **variété évolutive** ; il a comporté, tout au long de son histoire, un grand nombre de formes différentes.

On ne sait pas exactement combien d'espèces de cœlentérés ont existé, mais près de 9000 différentes ont survécu jusqu'à aujourd'hui.

Aussi bien les éponges que les cœlentérés (méduses, polypes, coraux, etc.) sont les plus anciens animaux pluricellulaires.

LES FOSSILES DE MOLLUSQUES ET D'ÉCHINODERMES

Les mollusques et les échinodermes sont deux embranchements d'animaux qui présentent une caractéristique idéale pour se fossiliser : ils possèdent une coquille ou un squelette interne calcaire. De plus, comme ils existent depuis près de 600 millions d'années, ce sont les groupes pour lesquels on trouve le plus grand nombre et le plus de variétés de fossiles, spécialement pour les mollusques. Plus de 10 % des fossiles trouvés appartiennent à une espèce d'un de ces deux groupes.

UNE GRANDE VARIÉTÉ DE FOSSILES

Les **mollusques**, de petite taille ou énormes, peuvent vivre sur la terre ferme, dans l'eau douce ou dans l'eau salée. Ils sont végétariens ou carnivores. Cette grande variété de caractéristiques existait également dans le passé, comme le démontrent les fossiles de formes très diverses que l'on a trouvés et qui peuvent mesurer de quelques millimètres de long jusqu'à plus de 3 m de diamètre. Les plus anciens fossiles de mollusques datent de la fin du **cambrien**, il y a plus de 500 millions d'années.

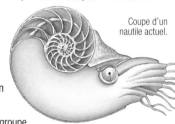

Des coquilles fossiles de mollusques.

Les gastéropodes forment un groupe de mollusques capables de se déplacer sur terre grâce à « un pied », qu'ils peuvent rétracter et protéger à l'intérieur de leur coquille. Grâce à sa composition calcaire, cette coquille peut rester pratiquement intacte même après sa fossilisation. À gauche, face et dos d'une *Planorbis*; à droite, coquille de *Neptunia*.

Un *Hildoceras* fossile.

ORTHOCÉRATIDÉS

Cette famille de mollusques de grande taille vécut durant l'ordovicien (il y a 430-500 millions d'années). On a trouvé des coquilles fossiles de ces mollusques de plus de 3 m de diamètre.

LES NAUTILOÏDES ET LES AMMONITES

Les nautiloïdes forment un groupe de mollusques très abondant et varié, apparu au **cambrien**, qui comprenait plus de 700 espèces différentes dont seulement une dizaine sont parvenues jusqu'à nous. Les fossiles de nautiloïdes les plus anciens que nous connaissons datent du début du cambrien, mais la majorité des nautiloïdes disparurent au trias, il y a environ 220 millions d'années.

Coupe d'un nautile actuel.

Les **ammonites** constituèrent un groupe de mollusques qui vécurent durant le **mésozoïque** (il y a 65-225 millions d'années), mais qui s'éteignirent ensuite. Certains étaient de grande taille, pouvant dépasser 2 m de diamètre. Leur coquille était de forme conique et disposait de plusieurs loges. Il semblerait que ce groupe ait évolué à partir des nautiloïdes au cours du **dévonien**, mais les espèces ne parvinrent pas à survivre aux divers changements qui se produisirent.

MONOPLACOPHORES

On n'avait trouvé de ce groupe de mollusques que des fossiles datant du paléozoïque. On considérait donc ce groupe comme éteint. Cependant, en 1952 on découvrit que dans l'océan Pacifique, à 5000 m de profondeur, vivait encore une espèce appelée *Neopilina galathaea*.

LES ÉCHINODERMES

Cet embranchement comprend à l'heure actuelle les **oursins** (échinides), les **étoiles de mer** (astérides), les **ophiures** (ophiurides), les **holothuries** (holothurides) et les **lis de mer** (crinoïdes). Bien que ces animaux semblent très différents les uns des autres, l'évolution étudiée à partir de leurs fossiles démontre qu'ils ont une organisation très similaire. Ils présentent un squelette formé de différentes plaques articulées qui entourent le corps. Dans certains groupes – telles les étoiles de mer, les ophiures et les holothuries – ces plaques sont relativement réduites, ce qui explique que leur fossilisation soit plus compliquée. De fait, on a trouvé très peu de restes d'holothuries.

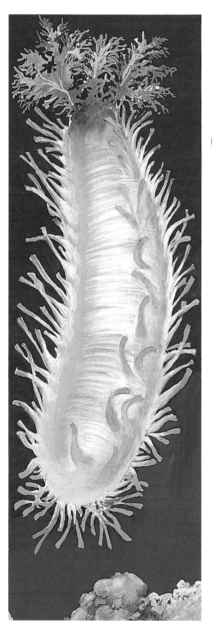

Aspect d'une holothurie actuelle.

LES ÉCHINIDES OU OURSINS

Ils sont apparus au début du Silurien et ont survécu jusqu'à nos jours. Leurs fossiles démontrent qu'il s'agit d'un groupe aux rapides changements évolutifs, ce qui rend très intéressante son étude paléontologique.

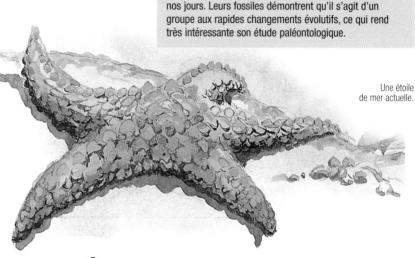

Une étoile
de mer actuelle.

Un *Brissopsis lusitanicus*,
un oursin fossilisé.

Les astérides et les ophiurides apparurent à la fin de l'ordovicien (il y a environ 450 millions d'années). Ces deux groupes se trouvent actuellement bien représentés dans nos océans.

LES CRINOZOOS

Ce sont les échinodermes les moins connus. Ils présentent un tube squelettique dans lequel s'insère le corps de l'animal, avec deux ouvertures à ses extrémités. À la partie inférieure surgit le pédoncule qui se fixe au sol. La partie supérieure comporte une série de tentacules. Les groupes les plus anciens (**cystidés** et **blastoïdes**) apparurent durant le **paléozoïque**, il y a environ 500 millions d'années, mais s'éteignirent avant la fin de cette ère. Le groupe le plus moderne (les **crinoïdes**) apparut durant le **mésozoïque**, il y a environ 200 millions d'années, et certains de ses représentants ont survécu jusqu'à nos jours.

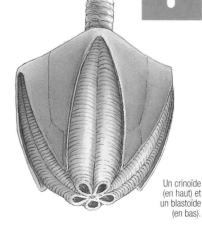

Un crinoïde
(en haut) et
un blastoïde
(en bas).

Les holothurides, même ceux qui vivent à notre époque, apparurent pour la première fois durant le silurien, il y a environ 420 millions d'années.

69

LES FOSSILES D'ARTHROPODES

Les arthropodes possèdent un squelette externe qui recouvre leur corps, mais ils ne se fossilisent pas rapidement. En effet, le composant principal de leur squelette est, en général, la chitine, une matière qui se minéralise difficilement. De plus, les arthropodes ont un corps segmenté, c'est-à-dire formé de différentes pièces qui, à la mort de l'animal, se séparent facilement. Par conséquent, l'éventail de fossiles d'arthropodes n'est pas large comparé à celui d'autres groupes d'animaux. Les fossiles d'arthropodes sont très importants pour la paléontologie.

LES TRILOBITES

Les trilobites constituent le premier groupe d'arthropodes à être apparu (ses fossiles sont les plus anciens du groupe). Ils vécurent pendant plus de 315 millions d'années, depuis avant le **cambrien** (il y a 540 millions d'années) jusqu'au **permien**, époque où ils disparurent. Ils possédaient un squelette externe très riche en carbonate de calcium, ce qui permit à leurs fossiles, dans une large mesure, d'arriver jusqu'à nous. On a trouvé des fossiles de trilobites mesurant quelques millimètres jusqu'à plus de 60 cm de longueur, même si la majorité oscille entre 5 et 8 cm. On a pu dénombrer plus de 1500 espèces. On a également trouvé les **traces fossiles** laissées par les trilobites sur les sédiments.

Le nom de trilobites (sur le dessin, de côté et de face) signifie « trois lobes » : le corps des trilobites est divisé en trois lobes.

Un *Paradoxides spinosus*, un trilobite fossile.

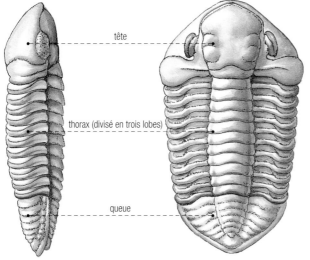

tête

thorax (divisé en trois lobes)

queue

LE MODE DE VIE DES TRILOBITES

Les trilobites étaient des animaux marins vivant sur le fond des océans, à un profondeur moyenne. Certains trilobites étaient capables de nager librement. Il semblerait qu'ils se soient alimentés de micro-organismes aquatiques.

 Les trilobites se déplaçaient sur les sédiments du fond des mers, laissant des empreintes très claires de leur passage.

Un fossile d'un ostracode paléocopide, un crustacé qui atteint à peine 5 mm de long.

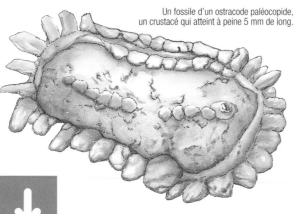

LES CRUSTACÉS MARINS

On a trouvé des fossiles de divers groupes de crustacés (**mérostomes** et d'**ostracodes**) depuis le cambrien, il y a quelques 500 millions d'années. D'autres, comme les **cirripèdes**, n'apparurent qu'au **silurien** (il y a 430 millions d'années) ou au **trias** (il y a 225 millions d'années) comme les **décapodes**. Tous ces groupes possèdent des représentants actuels même si, en général, de nombreuses espèces ont disparu. Il existe beaucoup plus de fossiles de ces crustacés marins que d'individus vivants.

↓ Le milieu dans lequel vivent les crustacés favorise la fossilisation. À leur mort, ils se déposent sur les fonds marins où ils sont rapidement couverts de sédiments.

En général, les crustacés marins sont les arthropodes qui se fossilisent le mieux, car ils possèdent un tégument fortement minéralisé par des sels de calcium.

LES INSECTES

Bien qu'il soit fort probable qu'il ait existé une infinité d'espèces d'insectes, relativement peu d'espèces aujourd'hui disparues nous ont laissé des restes fossilisés. Quand les insectes meurent, leur **tégument** se rompt rapidement et les différentes pièces qui le formaient se trouvent dispersées. De plus, de nombreuses structures, comme les ailes, sont si fines qu'il est fort difficile qu'elles parviennent à se fossiliser. Les insectes se sont beaucoup diversifiés au cours du **carbonifère**, il y a environ 330 millions d'années.

La fragilité du corps de nombreux insectes, comme celui de ce papillon, entraîne que l'on peut difficilement trouver des fossiles d'insectes avec une structure complète.

Bien que les scarabéidés (ordre des coléoptères) forment un groupe important à l'intérieur de la classe des insectes, ils apparurent plus tard que les autres groupes.

Le plus ancien fossile terrestre connu est celui d'un scorpion que l'on trouva dans la mer Baltique et qui date de la fin du silurien. Entre les scorpions fossiles et les scorpions actuels, il n'y a que peu de différences.

Dans les gisements du carbonifère apparaissent déjà les araignées et les myriapodes ou mille-pattes.

LES ARTHROPODES GÉANTS

Au cours de quelques ères géologiques, les arthropodes atteignirent des dimensions réellement spectaculaires. Tel est le cas de la libellule *Meganeura* qui vécut durant le carbonifère et parvint à atteindre une envergure de 70 cm. Un autre insecte de grande taille fut le *Titanophasma fayoli*, de 40 cm de long et plus de 60 cm d'envergure.

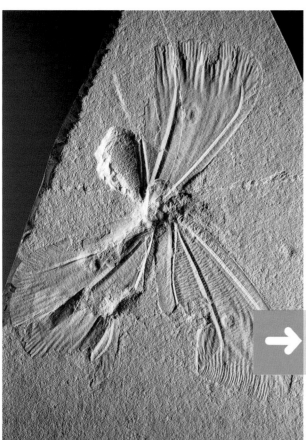

Le carbonifère fut une époque de grande expansion des êtres vivants. En général, les animaux étaient de plus grande taille que maintenant.

Copie en résine d'un *Kalligrama haeckeli*, un insecte ailé fossilisé d'une taille très respectable.

Le début de l'expansion des insectes coïncide avec l'apparition sur la terre ferme des plantes supérieures.

LES FOSSILES DE GRAPTOLITES

Les graptolites étaient des animaux marins qui vécurent durant le paléozoïque inférieur. On en trouve une grande quantité de fossilisés. Les gisements de graptolites ont une très grande importance pour la paléontologie, car ils nous permettent de nous faire une idée approximative des climats en vigueur durant le paléozoïque.

DES ANIMAUX COLONISATEURS

Les graptolites étaient des animaux marins de petite taille qui vivaient en groupes, formant des **colonies**, comme le font actuellement les coraux. Ils présentaient un squelette commun en chitine avec une tige principale, qui pouvait se ramifier ou non. Dans le cas où ils se ramifiaient, les graptolites formaient une espèce de plume dans laquelle chacun des rameaux pouvait dépasser un mètre de long. Les organismes vivants se situaient tout au long des bords des rameaux et communiquaient entre eux grâce à des canaux très fins qui parcouraient le squelette.

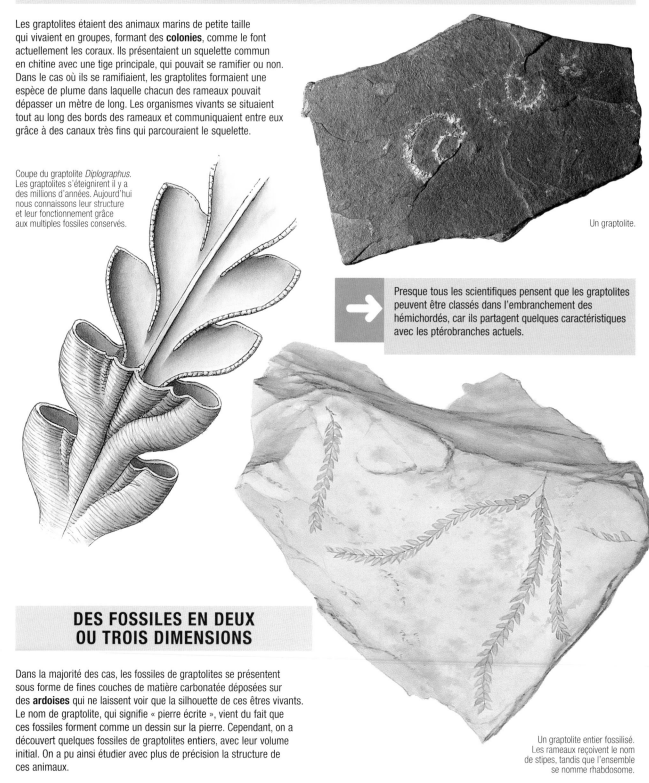

Coupe du graptolite *Diplographus*. Les graptolites s'éteignirent il y a des millions d'années. Aujourd'hui nous connaissons leur structure et leur fonctionnement grâce aux multiples fossiles conservés.

Un graptolite.

→ Presque tous les scientifiques pensent que les graptolites peuvent être classés dans l'embranchement des hémichordés, car ils partagent quelques caractéristiques avec les ptérobranches actuels.

DES FOSSILES EN DEUX OU TROIS DIMENSIONS

Dans la majorité des cas, les fossiles de graptolites se présentent sous forme de fines couches de matière carbonatée déposées sur des **ardoises** qui ne laissent voir que la silhouette de ces êtres vivants. Le nom de graptolite, qui signifie « pierre écrite », vient du fait que ces fossiles forment comme un dessin sur la pierre. Cependant, on a découvert quelques fossiles de graptolites entiers, avec leur volume initial. On a pu ainsi étudier avec plus de précision la structure de ces animaux.

Un graptolite entier fossilisé. Les rameaux reçoivent le nom de stipes, tandis que l'ensemble se nomme rhabdosome.

LA CROISSANCE DES GRAPTOLITES

À l'extrémité des graptolites, on peut voir une espèce de berge triangulaire ou conique, appelée **sicule**, qui semble être la zone par où commence à se former toute la colonie. Il est très probable que cette structure corresponde à l'organisme originel, formé à partir d'un zygote (par **reproduction sexuée**), qui plus tard se développera par gemmation (**reproduction asexuée**) de part et d'autre de la sicule, formant ainsi une colonie importante qui se ramifiera.

Trois espèces de graptolites : en haut à gauche, *Monograptus lobiferus*; en haut à droite, *Spirograptus*; en bas à gauche, *Dyctionema*.

DES ORGANISMES FIXES ?

Selon une autre théorie, les graptolites vivaient fixés dans le fond des mers, durant toute la vie pour quelques groupes et pour d'autres seulement durant la jeunesse.

Le rameau principal des graptolites reçoit le nom de « virgule ».

Les graptolites se classent en deux groupes principaux : les dendroïdes, qui semble avoir vécu fixés sur le substrat et les graptoloïdes, qui se déplaçaient plus librement.

À QUELLE ÉPOQUE VÉCURENT LES GRAPTOLITES ?

Les fossiles de graptolites les plus anciens datent de la fin du **cambrien**, il y a environ 500 millions d'années. C'est durant le **silurien** (il y a quelque 420 millions d'années) que les graptolites se diversifièrent et se développèrent de façon conséquente. La majorité des fossiles graptolites datent de cette époque. Les gisements les plus récents datent du milieu du **dévonien**, c'est-à-dire d'environ 390 millions d'années.

DES ORGANISMES PLANCTONIQUES ?

Les colonies de graptolites devaient vraisemblablement vivre portées par les flots grâce à un organe flottant duquel pendaient les bras de la colonie. Elles constituaient une partie importante du plancton des mers paléozoïques.

LES FOSSILES DE POISSONS ET D'AMPHIBIENS

Avec ces deux groupes, nous entrons dans le domaine des fossiles de vertébrés, c'est-à-dire des animaux possédant un squelette interne. Les premiers vertébrés sont des agnathes, des poissons dépourvus de mâchoires. Dans l'évolution, les poissons sont les ancêtres des amphibiens, des reptiles, des oiseaux et des mammifères.

LES POISSONS CARTILAGINEUX

La majorité des **poissons** qui vécurent durant le **paléozoïque** et le **mésozoïque** (il y a de 540 millions d'années à 65 millions d'années) possédaient un squelette composé de **cartilage**, un tissu dur et élastique qui se minéralise difficilement. Nous trouvons donc peu de fossiles de poissons de cette époque qui ont conservé une partie de leur squelette. Cependant, ces poissons possédaient une peau dure et des dents puissantes et développées qui se fossilisèrent et parvinrent jusqu'à nous, nous permettant ainsi de distinguer les poissons fossiles les plus anciens.

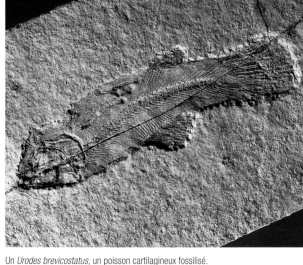

Un *Urodes brevicostatus*, un poisson cartilagineux fossilisé.

Le cœlacanthe est un poisson osseux que l'on croyait disparu et que l'on ne connaissait que grâce à ses fossiles. Mais, vers 1930, dans les eaux profondes proches de la côte africaine, apparurent quelques individus.

Il y a environ 400 millions d'années se produisit une diversification des poissons osseux dont le squelette se fossilise beaucoup plus facilement.

Le fossile d'une raie *Heliobatis,* un poisson placoderme.

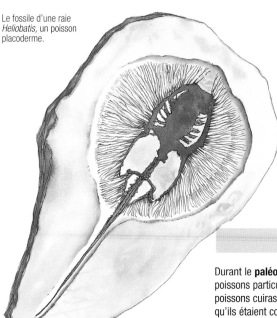

Une dent fossilisée de requin.

LES AGNATHES

Les plus anciens fossiles d'agnathes datent de l'ordovicien, il y a environ 500 millions d'années. Durant cette période apparurent les premiers poissons pourvus de mâchoires : les **placodermes** et les **acanthodiens**.

LES PLACODERMES

Durant le **paléozoïque** vécut un groupe de poissons particuliers, les **placodermes** ou poissons cuirassés. On les appelle ainsi parce qu'ils étaient couverts d'une espèce d'armure formée de grandes plaques osseuses. Dans un premier temps, la structure de leur corps fit penser aux paléontologues qu'il s'agissait de crustacés ou d'insectes géants. Mais, par la suite, ils identifièrent les placodermes comme des poissons. Ce groupe présentait un squelette interne de cartilage se fossilisant difficilement. La majorité des restes trouvés appartient à leur cuirasse.

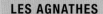

LES AMPHIBIENS FOSSILES

Les amphibiens apparurent au début du **carbonifère**, il y a environ 360 millions d'années, à partir de deux groupes de poissons qui évoluèrent et acquirent des caractéristiques leur permettant de vivre partiellement hors de l'eau. L'une des premières adaptations à la vie hors de l'eau fut la substitution des nageoires avant par deux pattes indispensables pour se déplacer sur la terre ferme. Une autre adaptation, concernant aussi les **dipneustes**, est l'acquisition de poumons qui permettent la respiration hors de l'eau à l'âge adulte. L'époque d'expansion et de diversification maximales des amphibiens fut le **permien**. Cependant, des changements climatiques postérieurs firent que la majorité des espèces s'éteignirent durant le **trias**.

Exemplaire de grenouille fossilisée.

Exemplaire de stégocéphale fossilisé.

Les crossoptérygiens et les dipneustes sont deux groupes de poissons que l'on considère comme les ancêtres des amphibiens. Le premier groupe des amphibiens qui exista fut celui des stégocéphales.

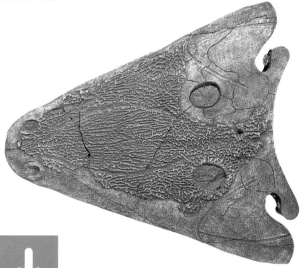

Les stégocéphales furent à l'origine de trois branches évolutives : la première est celle des stégocéphales proprement dits, qui disparurent pendant le trias ; la seconde correspond au groupe qui est parvenu jusqu'à nos jours, celui des amphibiens actuels ; et, en dernier lieu, le groupe à partir duquel se formèrent les reptiles.

LES STÉGOCÉPHALES

Ce groupe éteint d'amphibiens possédait des caractéristiques très différentes de celles des amphibiens actuels. Les stégocéphales avaient le corps allongé, avec une longue queue et deux paires de pattes qui, chez certaines espèces, s'atrophièrent et finirent par disparaître. Par conséquent, les stégocéphales commencèrent à se déplacer en rampant. Ils avaient le corps recouvert d'une dure carapace de plaques osseuses. Certains stégocéphales atteignirent une grande taille, allant jusqu'à dépasser 3 m de long, comme par exemple l'*Eryops*.

ICHTYOSTEGA

L'ichtyostega semble être le chaînon manquant entre les poissons et les amphibiens. C'était un énorme amphibien primitif dont le crâne ressemblait beaucoup à celui des poissons crossoptérygiens. Il s'éteignit pendant le trias.

LES FOSSILES DE REPTILES ET D'OISEAUX

Les oiseaux et les reptiles sont dans des classes séparées mais, en vérité, il serait plus correct de les traiter comme un seul et unique groupe, celui des reptiles. En effet, l'étude de l'évolution démontre que les oiseaux sont en réalité des reptiles qui ont acquis des changements très importants au niveau de certaines de leurs structures, de leur métabolisme et de leur comportement.

DES VESTIGES VIVANTS DU PASSÉ

Les **reptiles** que nous connaissons à l'heure actuelle ne sont qu'une petite représentation des animaux qui, par le passé, constituaient un grand groupe. Celui-ci, beaucoup plus diversifié, domina probablement le reste des vertébrés durant le **mésozoïque**. Ils apparurent il y a environ 250 millions d'années, à la fin du permien, et furent les premiers **vertébrés** qui parvinrent à coloniser avec succès le milieu terrestre. Durant le **trias**, les reptiles s'étaient déjà beaucoup diversifiés, mais c'est sans aucun doute au cours du **jurassique** (l'ère des reptiles) qu'ils atteignirent leur apogée.

Un paysage du mésozoïque, plus précisément du jurassique. Au premier plan, on peut voir un *Compsognathus* et derrière, de gauche à droite, un brontosaure, un stégosaure et un archéoptéryx.

L'ÉVOLUTION DES REPTILES

Les paléontologues ne sont pas absolument certains de connaître l'origine des reptiles. Certains maintiennent la théorie d'une origine à partir d'un groupe d'amphibiens primitifs, les **labyrinthodontes**, mais on n'a encore trouvé aucune trace fossile qui confirme cette hypothèse. Le premier groupe de reptiles connu fut celui des **théromorphes** qui donnèrent lieu d'une part aux **ptérosauriens**, aux **plésiosaures**, aux **dinosaures** et aux **reptiles** qui sont parvenus jusqu'à nous, et d'autre part aux mammifères primitifs. Durant le jurassique, tous les théromorphes avaient déjà complètement disparu.

Les seuls représentants des reptiles qui sont parvenus jusqu'à nous sont les lézards, les tortues, les serpents et les crocodiles, autant d'animaux d'aspect très différent, mais avec des caractéristiques internes similaires.

La tortue des îles Galápagos (Équateur) possède une carapace de 1 m de long, pèse près d'une demi-tonne et peut vivre plus de cent ans. Menacée de disparition, c'est une espèce aujourd'hui protégée.

Un *Chrysemys iberica*, un reptile fossile.

Introduction

La Terre

La collection
de minéraux

Les systèmes
cristallins

Les gemmes

Les minéraux

Les roches

La vie
sur Terre

La formation
des fossiles

Les espèces
disparues

Les types
de fossiles

Les dinosaures

Les fossiles
de mammifères

La collection
de fossiles

Les gisements
de fossiles

Index

LES GROUPES PRIMITIFS

Les **ptérosauriens** étaient des reptiles qui pouvaient voler, car leurs extrémités antérieures étaient transformées en ailes. Ils vécurent durant le jurassique et le crétacé.

À l'intérieur des océans et des mers de cette époque vivaient également des reptiles aquatiques dont les extrémités s'étaient transformées en nageoires leur permettent de nager. C'étaient les **ichtyosaures** et les **plésiosaures**.

Les **dinosaures** furent un grand groupe de reptiles terrestres qui atteignit son expansion maximale également durant le **jurassique** et le **crétacé**.

Tous ces groupes s'éteignirent à la fin du **mésozoïque**, il y a environ 65 millions d'années.

L'EXTINCTION DES DINOSAURES

Ce ne fut pas un processus soudain, mais une extinction échelonnée sur des milliers d'années, un temps très court à l'échelle géologique.

Un *Alligatorium depereti*,
un reptile fossile.

Les ailes des archéoptéryx possédaient trois doigts terminés en serres qu'ils utilisaient vraisemblablement pour grimper.

En dessous, moule en résine d'un archéoptéryx fossile.

LES OISEAUX

L'**archéoptéryx** est le plus vieil oiseau connu. Leurs fossiles appartiennent aux dernières phases du **jurassique**, il y a 150 à 160 millions d'années. Durant le **crétacé**, le groupe s'était déjà diversifié de façon conséquente. Ces oiseaux primitifs conservaient encore quelques caractères communs aux reptiles, dont ils provenaient, comme la présence de dents au niveau du bec et des similitudes de squelette, telles de longues queues avec de nombreuses vertèbres. Il est fort possible que la plupart de ces oiseaux n'aient pu voler, même s'ils grimpaient facilement aux arbres.

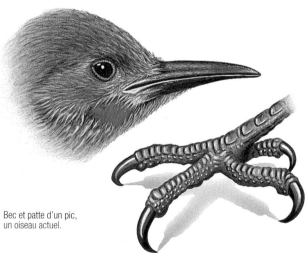

Bec et patte d'un pic,
un oiseau actuel.

ARCHÆORNITHES ET NÉORNITHES

Les archaeornithes étaient des oiseaux ayant des caractères primitifs intermédiaires entre ceux des reptiles et des oiseaux, tandis que les néornithes formaient un groupe d'oiseaux d'aspect similaire à celui des oiseaux actuels.

LES DINOSAURES I

Les dinosaures sont des reptiles qui, apparus pendant le trias, se développèrent et dominèrent la Terre durant le jurassique et le crétacé. Ils disparurent ensuite. De tailles et de formes très différentes, leur comportement pouvait être également très varié : herbivores, carnivores ou omnivores ; diurnes ou nocturnes. En général, ils privilégiaient la vie sur la terre ferme, même si quelques espèces s'étaient acclimatées aux terrains marécageux et cherchaient leur nourriture dans les lacs.

DES ANIMAUX À SANG CHAUD

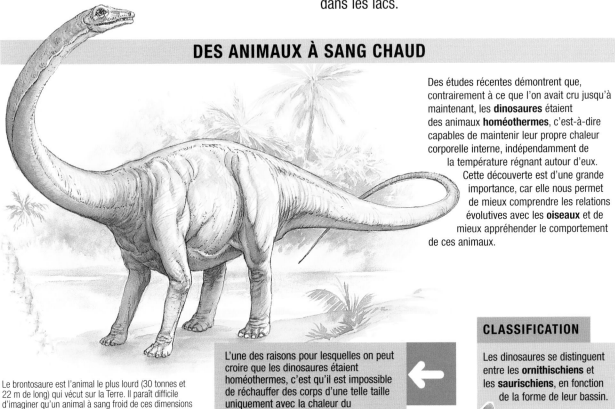

Des études récentes démontrent que, contrairement à ce que l'on avait cru jusqu'à maintenant, les **dinosaures** étaient des animaux **homéothermes**, c'est-à-dire capables de maintenir leur propre chaleur corporelle interne, indépendamment de la température régnant autour d'eux. Cette découverte est d'une grande importance, car elle nous permet de mieux comprendre les relations évolutives avec les **oiseaux** et de mieux appréhender le comportement de ces animaux.

Le brontosaure est l'animal le plus lourd (30 tonnes et 22 m de long) qui vécut sur la Terre. Il paraît difficile d'imaginer qu'un animal à sang froid de ces dimensions puisse arriver à se chauffer suffisamment pour se déplacer et réaliser son métabolisme.

L'une des raisons pour lesquelles on peut croire que les dinosaures étaient homéothermes, c'est qu'il est impossible de réchauffer des corps d'une telle taille uniquement avec la chaleur du Soleil.

CLASSIFICATION

Les dinosaures se distinguent entre les **ornithischiens** et les **saurischiens**, en fonction de la forme de leur bassin.

LES ORNITHISCHIENS

Les **dinosaures** de cet ordre possédaient un bassin similaire à celui des oiseaux, avec une saillie longue et forte au niveau de l'extrémité supérieure. En général, il se déplaçaient sur leurs quatre pattes. La majorité était herbivore. Trois exemples : l'**iguanodon**, le **tricératops** (il pouvait peser jusqu'à 8 tonnes, sa tête de plus de 2 m de long était très volumineuse et il présentait de larges cornes ainsi que des plaques osseuses) et le **stégosaure** (une série longitudinale de plaques osseuses sur le dos constituaient une défense et lui servaient pour la régulation de la température corporelle ; à l'extrémité de sa queue, il possédait aussi des structures cornées en forme de pointes).

Un iguanodon, un dinosaure herbivore qui mesurait jusqu'à 10 m de long et pesait jusqu'à 4 tonnes.

Quelques dinosaures ornithischiens, tel le trachodon, possédaient un museau en forme de bec corné et étaient dépourvus de dentition.

LES DINOSAURES

LES SAURISCHIENS

Les **dinosaures** appartenant à cet ordre présentaient un bassin similaire à celui des lézards, simple, sans saillie au niveau de l'extrémité supérieure. Certaines espèces étaient herbivores, comme le **brachiosaure**, le **brontosaure** ou le **diplodocus**, et d'autres étaient des prédateurs redoutés comme le **tyrannosaure**. Leur taille était également très variable, puisque les plus petits avaient la taille d'un rat, tandis que les plus grands dépassaient plusieurs mètres de long et pouvaient peser jusqu'à plusieurs dizaines de tonnes.

Au fur et à mesure que les dinosaures herbivores augmentèrent en taille, les dinosaures carnivores en firent de même.

Un brachiosaure, géant de 23 m de long, qui pouvait peser jusqu'à 70 tonnes.

QUELQUES DINOSAURES DE L'ORDRE DES SAURISCHIENS

• **Brontosaure**. Il mesurait jusqu'à 23 m de long et son poids pouvait dépasser 30 tonnes. Il utilisait sa queue comme arme de défense. Il avait un mode de vie semi-aquatique.

• **Diplodocus**. Il ressemblait au brontosaure, mais sa structure était beaucoup plus légère. Le diplodocus avait un mode de vie semi-aquatique.

• **Tyrannosaure**. Il mesurait jusqu'à 15 m de long et pouvait peser jusqu'à 7 tonnes. Il possédait deux puissantes pattes arrière avec lesquelles il se déplaçait très rapidement. Ses mâchoires étaient dotées d'une impressionnante dentition. Sa queue l'aidait à maintenir son équilibre.

Un diplodocus qui pouvait mesurer jusqu'à 25 m de long.

Reconstitution d'un squelette de diplodocus au musée d'Histoire naturelle de Londres.

LES DINOSAURES II

Durant le jurassique, les terres émergées de la planète se regroupèrent, constituant deux grands continents : la Laurasie, située au nord, et le Gondwana, situé au sud. Ceci favorisa la colonisation et l'expansion des dinosaures sur la totalité de la Terre, et explique qu'aujourd'hui nous puissions trouver des fossiles de ces animaux dans toutes les régions du globe.

LE DIPLODOCUS

Il appartient au groupe des **saurischiens**. C'était un dinosaure de grande taille qui pouvait mesurer jusqu'à 25 m de long pour 6 m de haut et qui possédait une tête très petite par rapport au reste de son corps. Les diplodocus avaient une queue et un cou très longs. Ils vivaient en petits troupeaux, habituellement dans les régions marécageuses. Quelques-uns des principaux gisements de ces animaux sont situés dans les canyons du Colorado, aux États-Unis, où l'on a trouvé de nombreuses espèces de diplodocus.

LE COMPSOGNATHUS

C'était un des dinosaures **saurischiens** les plus petits, de la taille d'un lapin. Malgré sa petite taille, il n'en restait pas moins un prédateur féroce, puisqu'il était carnivore comme le prouve sa puissante denture retrouvée dans ses fossiles. Il avait un cou allongé, un squelette léger et des pattes postérieures très longues, structures qui indiquent que c'était un animal sauteur agile et rapide.

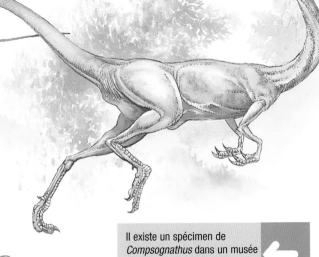

Un *Compsognathus*, saurischien qui mesurait 60 cm de long et pesait environ 2,5 kg.

Il existe un spécimen de *Compsognathus* dans un musée de Munich, en Allemagne.

TYRANNOSAURE REX

Ce dinosaure **saurischien** de grande taille pouvait atteindre 10 m de long. Ce fut très certainement un terrible prédateur, car certaines de ses dents dépassaient 20 cm. Le tyrannosaure rex était un animal robuste. Les pattes antérieures des squelettes retrouvés sont si réduites qu'il ne devait pas les utiliser pour se déplacer. En revanche, ses pattes postérieures très puissantes laissent à penser qu'il était bipède et capable de se mouvoir rapidement. Les restes de tyrannosaure trouvés appartiennent au Crétacé.

Un tyrannosaure rex.

À droite, reconstitution d'un squelette de tyrannosaure rex, au musée d'Histoire naturelle de New York.

LE MÉGALOSAURE

Dans plusieurs gisements européens, on a trouvé des restes d'un animal de grande taille, qui devait mesurer 7 m de long ; il fut classé comme **dinosaure** de l'ordre des **saurischiens**. Cet animal est le mégalosaure. À en juger par ses rangées de puissantes dents acérées, ce devait être un carnivore. Le mégalosaure possédait de longues et robustes pattes postérieures tandis que ses pattes antérieures étaient réduites, ce qui prouve qu'il était bipède.

Megalosaurus.

EMPREINTES GÉANTES

Dans certaines roches sédimentaires, on peut observer de grandes empreintes parallèles, séparées les unes des autres, et qui suivent des trajets bien précis. Ces traces semblent être des empreintes de dinosaure qui se sont fossilisées et qui ont perduré jusqu'à aujourd'hui. Elles nous permettent de mieux connaître le mode de locomotion, la rapidité et le poids que devaient avoir ces animaux. On a trouvé des fossiles de ces empreintes dans différents endroits du globe.

Des empreintes fossilisées de pas de dinosaure dans la région de Los Cayos (La Rioja, Espagne).

LES ŒUFS DE DINOSAURE

Comme les reptiles actuels, les dinosaures se reproduisaient grâce à des œufs. Les femelles les déposaient dans des endroits précis afin qu'ils puissent recevoir la chaleur nécessaire à leur incubation. On pense que les femelles de certaines espèces de dinosaures étaient de bonnes mères et que, à l'image des **crocodiles** actuels, elles protégeaient leurs œufs et, après l'éclosion, prenaient soin de leurs petits jusqu'à ce qu'ils soient suffisamment grands pour se défendre seuls.

Dans certains gisements, on a trouvé des œufs de dinosaure relativement bien conservés.

Coquille fossilisée d'un œuf de dinosaure.

Certains dinosaures protégeaient leurs œufs à l'intérieur de leurs corps et les petits sortaient après éclosion. Cela signifie que les dinosaures étaient **ovovivipares**, comme certains serpents aujourd'hui.

LES FOSSILES DE MAMMIFÈRES

Après le mésozoïque, période durant laquelle la Terre fut dominée par les reptiles, vint le cénozoïque qui correspondit à l'expansion maximale des mammifères. Depuis lors, cette classe n'a cessé de s'accroître, pour devenir aujourd'hui le groupe dominant. Les mammifères sont présents dans tous les habitats, depuis les terres polaires gelées jusqu'aux déserts les plus arides, en passant par les forêts, les prairies, les rivières, les lacs et les océans.

LES MAMMIFÈRES

L'une des caractéristiques principales qui différencient les mammifères des autres animaux est la présence de **glandes mammaires** chez les femelles. Ces glandes permettent de produire du **lait** pour alimenter les petits durant les premiers moments de leur existence. Les mammifères sont **homéothermes** et la présence de poils permet le contrôle de la température à l'intérieur du corps. De plus, l'attention portée à leurs petits et une période d'apprentissage beaucoup plus longue que chez les autres animaux contribuent à leur capacité d'adaptation au milieu.

Un renard de la Patagonie chilienne.

Reconstitution d'un squelette de mammouth au musée d'Histoire naturelle de New York.

Quelques mammifères, ancêtres des mammifères actuels.

ÉVOLUTION

Les premiers mammifères apparurent durant le **mésozoïque**, à la fin du **trias** (il y a environ 220 millions d'années), sans doute à partir d'un groupe de **reptiles**. C'étaient des animaux de petite taille, semblables aux musaraignes actuelles. La denture que nous trouvons chez les fossiles de mammifères de cette période est très proche de celle des actuels **insectivores**. Ces premiers mammifères devaient vraisemblablement vivre au sol ou dans les arbres. Leurs extrémités comprenaient cinq doigts avec des pièces finales à l'aspect intermédiaire entre les ongles et les sabots.

→ Les mammifères, de même que les oiseaux, sont des classes qui n'ont cessé de croître jusqu'à l'époque actuelle.

COMMENT DISTINGUER UN FOSSILE DE MAMMIFÈRE?

Les caractères principaux qui permettent de distinguer les mammifères sont les mamelles et les poils, mais ils ne sont que rarement observables sur les fossiles. En effet, ces éléments font partie du corps mou qui, généralement, finit par être détruit et disparaître. Cependant, leurs squelettes présentent des particularités qui permettent de classer les fossiles dans la catégorie des mammifères. Les paléontologues identifient sans équivoque les fossiles grâce à la structure des **extrémités**, de la **denture** et du **crâne**.

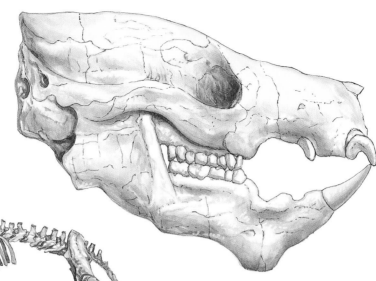

Deux caractéristiques propres au crâne des mammifères sont que l'articulation au niveau de la première vertèbre s'effectue par l'intermédiaire de deux saillies (condyles occipitaux) et que la mâchoire inférieure se rattache directement au crâne, sans qu'il y ait d'os intermédiaires.

Un squelette du tigre aux dents de sabre, appelé ainsi à cause de ses grandes incisives.

DIFFÉRENCES

Les crânes des reptiles se différencient de ceux des mammifères par leur denture uniforme composée d'une seule sorte de dents, tandis que les mammifères possèdent différents types de dents (incisives, canines, molaires).

UN RETOUR DANS LE PASSÉ

Grâce à l'étude des fossiles, on sait que durant l'ère **secondaire** vivaient déjà des mammifères de l'ordre des **protothériens** (dont il ne reste plus aujourd'hui que les ornithorynques et les échidnés) : les **triconodontes**, les **doconodontes**, les **alotères** ou **multituberculés** et quelques **marsupiaux** très primitifs.

À partir du **cénozoïque** apparurent différents groupes : les **marsupiaux** ou **métathériens** (qui s'agrandirent énormément) les **insectivores**, les **tillodontes**, les **chiroptères** (chauves-souris), les **créodontes** (qui se sont éteints au cours du miocène), les **carnivores**, les **rongeurs**, les **ongulés** et les premiers **primates**, entre autres.

Pendant le **pliocène**, la majorité des groupes qui apparurent durant l'ère antérieure continuèrent à être très présents et les premiers **hominidés** firent leur apparition.

Le mastodonte est un mammifère fossile proche de l'éléphant. Des mastodontes ont été conservés dans les glaces, ce qui nous a permis de connaître leur aspect réel.

LES FOSSILES D'HOMINIDÉS

L'homme est un mammifère et, comme n'importe lequel d'entre eux, il apparut à un moment donné à partir d'une lignée animale. Actuellement, nous sommes absolument certains d'être les descendants d'une branche de primates ; cependant, et ce durant de nombreux siècles, cette éventualité fut réfutée. Les preuves fossiles démontrent que, comme tout être vivant, les êtres humains sont le résultat de l'évolution biologique.

LES PRIMATES FOSSILES

Les premiers **primates** apparurent durant le **crétacé**, il y a environ 150 millions d'années. Ils se développèrent et se diversifièrent véritablement pendant le **cénozoïque**. Certaines branches de primates se sont éteintes, mais de nombreuses autres se perpétuent à l'heure actuelle, comme les **lémuriens** et les **loris**. D'autres primates, comme les **anthropoïdes** et les **hominidés**, apparurent durant le cénozoïque.

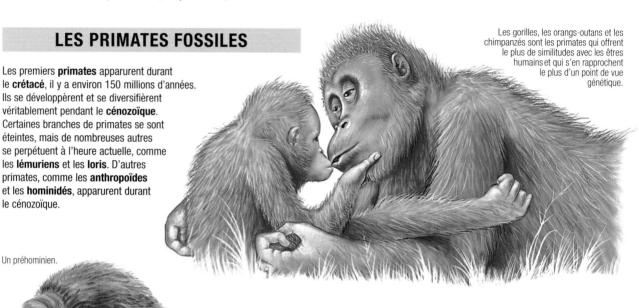

Les gorilles, les orangs-outans et les chimpanzés sont les primates qui offrent le plus de similitudes avec les êtres humains et qui s'en rapprochent le plus d'un point de vue génétique.

Un préhominien.

Un homme de Cro-Magnon.

Les paléontologues doivent faire très attention s'ils ne veulent pas confondre les fossiles de gorilles ou de chimpanzés avec ceux des hominidés primitifs, car leurs fossiles peuvent être très ressemblants.

Les os du bassin sont également très utiles pour pouvoir classer un fossile dans le groupe des hominidés. En effet, le bassin des hominidés est large et parfaitement adapté à la marche debout.

TRAITS CARACTÉRISTIQUES DES HOMINIDÉS

Il existe quelques caractéristiques qui permettent de savoir si un crâne fossile appartient à un hominidé ou à un autre primate. La capacité de la **boîte crânienne** des hominidés est supérieure à celle du reste des primates. De plus, à la différence des autres primates, les hominidés parviennent à maintenir leur corps en **position redressée**. Chez les fossiles d'hominidés, on peut vérifier cette caractéristique en étudiant la base de leur crâne. Le crâne chez les hominidés présente un trou, juste en dessous, où s'insèrent les premières vertèbres de la colonne vertébrale. Chez le reste des primates, leur crâne possède ce trou plus haut et à l'arrière. Chez les hominidés, les canines sont de petite taille par rapport au reste des singes.

Un homme de Neandertal.

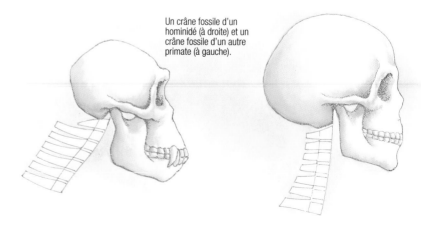

Un crâne fossile d'un hominidé (à droite) et un crâne fossile d'un autre primate (à gauche).

QUAND APPARURENT LES PREMIERS HOMINIDÉS ?

On a trouvé les restes fossiles d'un hominidé qui vécut durant le **miocène**, à la fin du cénozoïque, il y a environ 20 millions d'années : il s'agit du **ramapithèque**. C'est l'un des hominidés les plus primitifs, mais il présente déjà des caractéristiques, telles que la forme des mâchoires et la structure des dents (le ramapithèque possède de petites caries), qui permettent de le classer dans les hominidés.

Les restes d'un australopithèque, nom qui désigne les fossiles d'hominidés très archaïques qui vécurent il y a entre 4 et 1,5 millions d'années. Les australopithèques étaient de petite taille, entre 1 m et 1,5 m. Leurs fossiles ont été trouvés en Afrique.

L'homme de Cro-Magnon vécut pendant le paléolithique supérieur (il y a quelques 30 000 ans). C'est l'un de nos ancêtres les plus directs.

LE GENRE HOMO

Les fossiles les plus anciens de ce genre sont ceux de l'**Homo habilis**, qui datent d'il y a entre 2,5 et 1,5 millions d'années et que l'on a trouvés exclusivement sur le territoire africain. Ensuite vint l'**Homo erectus** qui vécut il y a entre 1,7 million d'années et 300 000 ans. On a trouvé des restes fossiles de cette espèce sur tous les continents, même si les plus anciens appartiennent à l'Afrique. À la suite de l'*Homo erectus* apparut l'**Homo sapiens**, dont les restes, également disséminés un peu partout, datent d'il y a 450 000 ans à nos jours. Cependant, l'anatomie « moderne » de l'*Homo sapiens sapiens* n'est acquise que depuis 100 000 ans environ. L'homme moderne appartient à la sous-espèce *Homo sapiens sapiens*.

Au fur et à mesure de l'évolution de l'homme, le volume de sa boîte crânienne augmenta : 650 cm³ chez *Homo habilis*, 1000 cm³ chez *Homo erectus*, 1800 cm³ chez *Homo sapiens*.

L'être humain représente le degré le plus élevé de l'évolution. À une série d'améliorations anatomiques (meilleur cerveau, position verticale, mains préhensiles, capacité d'articulation pour le langage, etc.) se greffèrent des habiletés supérieures, comme l'apprentissage, une réponse efficace face à un milieu hostile, le langage symbolique, la socialisation, la transmission de la culture, etc.

LA STRATIGRAPHIE : L'ÂGE DES FOSSILES

Les roches sédimentaires sont constituées de différentes strates ou couches de sédiments disposées les unes sur les autres. Durant la formation de ces roches, les couches de sédiments les plus anciennes correspondent logiquement aux zones les plus profondes. L'étude des couches de terrain, la stratigraphie, permet de reconstruire l'histoire de l'écorce terrestre et des fossiles qui s'y ajoutèrent, enfouis.

LA STRATIFICATION DES ROCHES SÉDIMENTAIRES

Depuis l'Antiquité, l'homme a cherché à connaître le passé géologique de la Terre. Les roches sédimentaires apportèrent des informations indispensables, car elles comportent, gravées, les conditions atmosphériques et les organismes fossilisés qui existent à différentes époques, dans l'ordre chronologique de ces époques. Cependant, pour avancer des conclusions fiables, il faut utiliser des techniques adaptées à l'étude de ces roches.

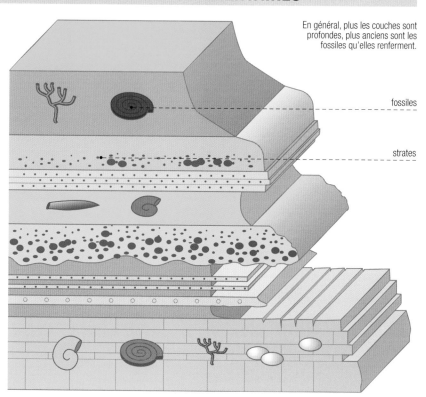

En général, plus les couches sont profondes, plus anciens sont les fossiles qu'elles renferment.

fossiles

strates

On a comparé les roches sédimentaires aux feuilles d'un livre ; chaque couche serait une nouvelle feuille remplie d'informations.

Quand on sait qu'un organisme vécut à une époque déterminée, sa présence dans une roche suffit pour dater cette dernière. Les fossiles sont donc des indicateurs de l'époque géologique de formation des roches.

L'IMPORTANCE DE LA GÉOLOGIE

Quand on trouve des coquilles fossiles au milieu d'une montagne, on peut se demander comment ces coquilles d'**organismes marins** ont pu parvenir jusque-là. L'explication est très simple : la roche à l'intérieur de laquelle se trouvent aujourd'hui ces coquilles d'organismes marins est une **roche sédimentaire** qui s'est formée il y a plusieurs millions d'années, dans les profondeurs de quelque mer de l'époque. Les mouvements internes de la Terre (**orogenèse**) ont fait que ces terrains se soulevèrent et formèrent des montagnes.

Une strate montre clairement des restes fossilisés de coquilles.

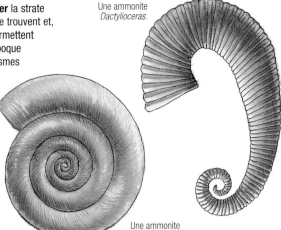

LES FOSSILES CARACTÉRISTIQUES

Quelques fossiles servent à **dater** la strate sédimentaire dans laquelle ils se trouvent et, par conséquent, ces fossiles permettent également de savoir à quelle époque appartiennent les autres organismes fossiles que l'on a trouvés dans cette strate. Ces fossiles sont dit **caractéristiques**, car ils se trouvent toujours dans certaines strates et jamais dans les autres.

Une ammonite *Dactylioceras*.

Une ammonite *Hetereomorfo*.

Pour qu'un fossile puisse être **caractéristique**, il doit réunir trois critères :

1. Appartenir à une espèce à longévité courte qui évolue rapidement.

2. Abonder dans les sédiments et occuper une aire de distribution très étendue.

3. Être facile à reconnaître.

UN MAUVAIS REPÈRE

Le **nautile** ne peut pas servir de fossile caractéristique, car il vit sur la Terre depuis des millions d'années. Sa présence dans une roche ne nous indique pas l'âge de cette dernière, car elle peut s'être formée il y a plusieurs millions d'années ou il y a seulement quelques millénaires.

DE BONS REPÈRES

Parmi les fossiles caractéristiques, on trouve les foraminifères, les trilobites, les graptolites, les ammonites, quelques mollusques, quelques céphalopodes et quelques mammifères.

Un laboratoire de paléontologie.

Pour dater les roches ou les fossiles vieux de plusieurs millions d'années, on analyse le plomb et l'uranium radioactif. Pour les fossiles plus récents, il vaut mieux utiliser la datation par le carbone radioactif.

Les méthodes de datation pour déterminer l'ancienneté d'un fossile.

LA DATATION PAR LES ÉLÉMENTS RADIOACTIFS

Pour savoir à quelle époque appartient une roche ou un fossile déterminés, il convient d'appliquer une série de méthodes de datation. L'une des plus courantes est la méthode fondée sur la **désintégration** de certains éléments par radioactivité. Tous les matériaux (ceux qui constituent les êtres vivants inclus) présentent des éléments chimiques qui, avec le temps, vont se transformer en d'autres éléments chimiques (certains d'entre eux en émettant des rayonnements). Si nous parvenons à savoir à quel rythme se modifient ces éléments et si nous analysons les fossiles, nous saurons avec précision quels éléments existent aujourd'hui et l'âge de ces organismes.

Lorsque nous ramassons un minéral, il est important de vérifier ce qui s'est passé à cet endroit-là pour que ce minéral s'y forme.

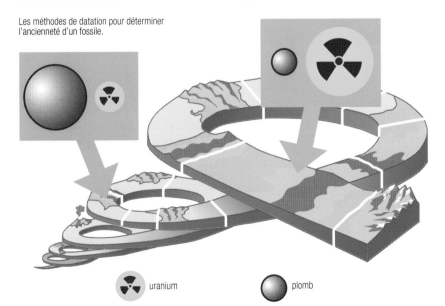

uranium

plomb

LA RÉCOLTE DES FOSSILES

La paléontologie peut constituer un passe-temps qui apporte énormément de satisfactions. Visiter les musées et les expositions pour y observer les fossiles est très agréable et permet, sans aucun doute, d'acquérir des connaissances indispensables à l'identification des fossiles. Cependant, il est beaucoup plus gratifiant d'observer les fossiles sur le terrain. Pour cela, nous devons nous rendre dans des sites précis, car les fossiles ne se trouvent pas partout.

OÙ TROUVER DES FOSSILES ?

On peut trouver des fossiles dans la plupart des sites où des **roches sédimentaires** sont à découvert. Certains fossiles sont disséminés ou semi-enterrés dans le sol et donc faciles à obtenir. D'autres, au contraire, se trouvent incrustés dans la roche mère qui forme un mur et, s'ils ne se trouvent pas sur la face externe, il est impossible de les voir.

Les meilleurs terrains pour trouver des fossiles sont les **calcaires** et les **schistes** à grain fin, car leurs couches externes se craquellent facilement, laissant à découvert la face de roches intactes susceptibles de contenir des fossiles. Les terrains de **roches métamorphiques** sont également propices à la découverte de fossiles, puisque la plupart de ces roches se décomposent et laissent à découvert les fossiles qu'elles renferment.

 Certaines façades d'édifices sont construites avec des roches sédimentaires où l'on observe la présence de fossiles.

Les gisements paléontologiques les plus accessibles sont ceux où les fossiles ne sont pas complètement enfouis dans le sol. Il convient d'extraire les échantillons indispensables à l'étude ou à la collection, sans détruire le reste du gisement.

À gauche, un terrain formé de roches sédimentaires, des calcaires du tertiaire ; à droite, des roches métamorphiques (schistes et quartzites).

LA RÉCOLTE DES FOSSILES

Introduction

La Terre

La collection
de minéraux

Les systèmes
cristallins

Les gemmes

Les minéraux

Les roches

La vie
sur Terre

La formation
des fossiles

Les espèces
disparues

Les types
de fossiles

Les dinosaures

Les fossiles
de mammifères

**La collection
de fossiles**

Les gisements
de fossiles

Index

RESPECTER L'ENVIRONNEMENT

Avant d'extraire un fossile d'un **terrain**, nous devons prendre en compte le lieu où nous avons trouvé ce fossile. En effet, il pourrait s'agir d'un **endroit protégé** dans lequel la récolte d'échantillons est interdite. Nous nous limiterions alors à des observations. Le simple fait de trouver des fossiles et de les reconnaître est satisfaisant en soi ; un bon naturaliste doit toujours être prêt à renoncer à sa collection pour le bien de la nature.

Bien évidemment, si quelqu'un trouve un fossile aux caractéristiques intéressantes pour la **paléontologie** (par exemple un échantillon jamais décrit dans cette région, un reste d'hominidé, etc.), il doit se rendre à l'administration de l'endroit protégé ou au **musée** le plus proche pour enregistrer sa découverte.

CHAQUE CHOSE À SA PLACE

Nous ne devrions ramasser les fossiles (et n'importe quel autre élément de la nature) que s'ils nous intéressent réellement et que si nous pensons les utiliser. Dans le cas contraire, il vaut mieux les observer et les remettre où nous les avions trouvés.

Dans les espaces protégés, comme les parcs et les réserves, il existe des normes strictes de respect du milieu : ne pas déranger les animaux, ne pas ramasser d'échantillons de plantes, de roches ou de fossiles, ne pas pratiquer d'activités sportives (excepté la promenade), etc.

LES CARRIÈRES ET LES CHANTIERS

Il convient d'amener sur le terrain un carnet pour noter la localisation des fossiles et d'autres données. Ces informations seront utiles pour que plus tard, à la maison, on puisse les identifier.

Les endroits dont le terrain a été creusé artificiellement, comme par exemple les **carrières**, les **terre-pleins** des routes, des voies ferrées ou les anciennes **mines** abandonnées, sont des sites exceptionnels pour trouver des fossiles. Cependant, ces endroits peuvent être dangereux, car il peut y avoir des machines en train de travailler, des véhicules en train de circuler et il peut également se produire des éboulements. Il convient donc de demander une autorisation pour entrer, si nous nous trouvons sur un terrain privé, et être accompagné d'un adulte.

Il est possible de trouver des exemplaires de fossiles et de minéraux, à admirer ou à incorporer à notre collection, dans des établissements spécialisés.

 Nous ne devons pas oublier qu'il existe également une façon très simple d'obtenir des fossiles : les acheter dans un magasin. Ils sont généralement bien polis et conservés et généralement bien identifiés.

Le ballast est une couche de pierres concassées (ou graviers) sur laquelle reposent les traverses d'une voie ferrée. Ces graviers proviennent souvent de roches contenant de nombreux fossiles. Il faut pourtant, par sécurité, éviter de chercher des fossiles dans cet endroit.

LA COLLECTION DE FOSSILES

Après une sortie sur le terrain au cours de laquelle on a ramassé une série de fossiles, il convient de ranger et de classer correctement les échantillons trouvés afin qu'aucun ne se perde. C'est un travail de collectionneur quelque peu laborieux, parfois difficile, mais qui, une fois terminé, est très gratifiant. Si l'on ne range pas les fossiles de façon ordonnée et que l'on ne conserve pas d'informations sur eux, ils deviendront un tas de pierres amoncelées dans un sac qui, tôt ou tard, finiront par se perdre.

DU TERRAIN À LA COLLECTION

Les fossiles ramassés sur le terrain ont généralement des restes de sable et de pierre incrustés qu'il faut nettoyer avant de ranger les nouveaux échantillons dans notre collection. Au début, il convient de réaliser ce nettoyage à la maison, avec patience et en prenant son temps, car le fossile doit être ramassé tel quel, sans manipulation. Une fois à la maison, le nettoyage des échantillons s'effectue avec une **brosse en soie** et éventuellement un petit poinçon ou un tournevis lorsqu'il y a des incrustations plus dures.

Il faut être précautionneux et patient lors du nettoyage et de la préparation d'un fossile, car il pourrait se briser.

Dans certains cas, on peut vernir le fossile pour qu'il ne perde pas de son éclat. Il convient d'aller dans un centre spécialisé pour s'informer sur les meilleures substances pour le faire.

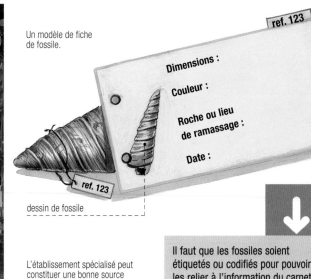

Pendant la récolte des fossiles, nous devons sélectionner le terrain et essayer de ne rien endommager.

COMMENT CLASSER LES FOSSILES ?

Il existe plusieurs façons de ranger les fossiles d'une collection, mais la meilleure est celle qui convient le mieux au propriétaire ou collectionneur, puisque c'est lui qui va profiter de ses « trésors ».

Une bonne option consisterait à les classer par époques ou **ères géologiques**, bien que ce soit assez difficile et requière une grande connaissance des espèces et des études paléontologiques publiées jusqu'ici. Une autre façon de procéder, plus simple et tout aussi rigoureuse d'un point de vue scientifique, consiste à classer les fossiles par **groupes biologiques** (plantes, arthropodes, reptiles, etc.).

Un modèle de fiche de fossile.

ref. 123

Dimensions :

Couleur :

Roche ou lieu de ramassage :

Date :

ref. 123

dessin de fossile

L'établissement spécialisé peut constituer une bonne source d'informations pour reconnaître les fossiles trouvés et même pour effectuer des échanges.

Il faut que les fossiles soient étiquetés ou codifiés pour pouvoir les relier à l'information du carnet ou du fichier.

OÙ LES STOCKER ?

Le meilleur endroit pour conserver des fossiles est sans aucun doute la **vitrine**, car elle permet de profiter de la collection. Cependant, ce n'est pas toujours possible par manque de place. On peut aussi les ranger sur une étagère, mais ils se couvrent de poussière et il faut les nettoyer souvent. Une bonne solution consiste à les ranger dans des **caisses** peu profondes, avec des cloisons séparatrices à l'intérieur pour éviter que les fossiles ne se mélangent. On peut placer une étiquette d'identification près de chaque spécimen. Ces caisses ou cartons peu profonds peuvent avoir un couvercle en verre qui laisse voir les fossiles.

 Les boîtes ou plateaux de fossiles sont très souvent utilisés pour stocker les fossiles.

Une collection de fossiles correctement organisée.

Si l'on possède toutes les pièces du squelette d'un animal vertébré, il est passionnant d'essayer de le reconstituer et de le faire tenir debout. Pour cela, une base est nécessaire pour y poser le squelette ainsi que des tiges de soutien en métal et des fils de fer pour relier les os entre eux.

LES MOULES

Comme il n'est pas toujours possible de disposer de toutes les spécimens d'un **groupe biologique** dans sa propre collection, on peut se procurer des dessins ou des photographies des fossiles manquants. On peut également acheter ces pièces manquantes ou bien, s'il s'agit d'exemplaires très rares ou coûteux, on peut acquérir des reproductions qui se vendent dans les magasins spécialisés, dans les **musées**, etc.

Divers types de moules (silicone et résine époxy) de fossiles.

Squelette de tricératops reconstitué à l'aide de tiges en métal, de fils de fer, d'adhésif, etc.

Dans de nombreux musées, on peut trouver des fossiles partiellement reconstitués, avec de fausses parties (généralement plus claires) qui donnent une idée de l'élément manquant original.

LES GISEMENTS DE FOSSILES

Bien que nous puissions trouver des fossiles partout dans le monde, il existe quelques gisements plus importants que d'autres, par la quantité et la qualité de conservation des fossiles. Ce sont des sites où les conditions de formation furent particulièrement favorables durant la période à laquelle vécurent les organismes aujourd'hui fossilisés.

LA FAUNE D'EDIACARA

Les fossiles les plus anciens d'**animaux pluricellulaires** ont entre 700 et 570 millions d'années. La majorité d'entre eux fut trouvée en 1947, à Ediacara Hills, dans le sud de l'Australie ; on leur donna le nom de « faune d'Ediacara ». Il s'agit de spécimens fossilisés de méduses, de vers annelés et de cœlentérés.

Il existe également d'autres gisements de ces organismes à Charnwood Forest (Royaume-Uni), à Mistaken Point (Canada), dans le Sud-Ouest africain et en Russie.

LA FAUNE DE BURGESS SHALE

Les organismes qui vécurent durant le cambrien (il y a 540-500 millions d'années) ont été appelés « faune de Burgess Shale », car l'un des principaux gisements se trouve à Burgess Shale (Canada).

Restes d'un mammouth conservés dans un musée tels qu'ils ont été découverts dans le gisement.

LES GISEMENTS RICHES EN ORGANISMES DU JURASSIQUE

Durant le **jurassique**, de grandes parties de l'Europe occidentale actuelle étaient recouvertes par des mers chaudes et peu profondes. On trouve d'importants gisements de cette époque en Allemagne, spécialement celui de **Holzmaden**, près de Stuttgart et celui de **Solnhofen**, en Bavière.

À Solnhofen furent trouvés sept magnifiques exemplaires d'archéoptéryx, animal que l'on considère comme le premier oiseau connu.

Parfois, l'empreinte laissée par un fossile permet de reconnaître son espèce, comme c'est le cas pour cette trace de *Tarracolimulus* du trias.

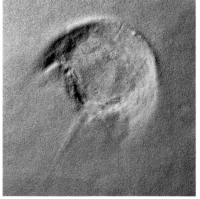

On a trouvé à **Holzmaden** et à **Solnhofen** des restes d'ichtyosaures, de plésiosaures, de pliosaures et de beaucoup d'autres animaux marins comme les éponges, les ammonites, les bivalves, les échinodermes, etc. On a également découvert des reptiles, des insectes et des plantes.

L'étude comparée des espèces vivantes et des espèces fossiles permet de mieux classer ces dernières. Sur la photo, *Limulus polyphemus* sur une plage.

LES GISEMENTS DE DINOSAURES

On peut trouver des gisements de dinosaures partout dans le monde, même dans l'Antarctique. Toutefois, les restes les plus importants ont été découverts dans les régions occidentales d'**Amérique du Nord**, dans les montagnes Rocheuses et dans le Connecticut. Il existe une zone connue sous le nom de « **triangle des dinosaures** », qui se situe entre Grand Junction (Colorado), Price (Utah) et Vernal (Utah) où les restes de dinosaures sont particulièrement abondants. Les gisements du **Parc provincial des dinosaures**, à Alberta (Canada), sont également importants.

Il convient également de mentionner les gisements de Mongolie, de Belgique, d'Angleterre, de France et d'Allemagne. Pour ce qui est de la péninsule Ibérique, on a trouvé des fossiles de dinosaures dans la région de La Rioja et dans la région méditerranéenne à Morella, Castellón, Valencia et Lérida.

Les gorges Olduvai, en Tanzanie, sont un site où les anthropologues ont découvert les restes de plusieurs ancêtres de l'homme.

L'attraction exercée par les dinosaures sur les hommes est à l'origine de nombreux films. Elle a également suscité la fabrication de nombreux produits dérivés. Sur la photo, maquette de *Deinonichus*, un célèbre carnivore du Crétacé.

Dans le gisement situé à l'est de Vernal (Utah), on a trouvé des fossiles de plus de cent dinosaures qui appartenaient à dix espèces différentes : stégausaure, camptosaure, cryosaure, barosaure, apatosaure, diplodocus, camasaure, allosaure et cératosaure.

PRINCIPAUX ENDROITS OÙ L'ON A TROUVÉ DES RESTES D'HOMINIDÉS

LES GISEMENTS D'HOMINIDÉS

Les hominidés les plus anciens ont été découverts dans des gisements du continent africain, dans sa partie occidentale. Cependant, les hommes primitifs, à partir de l'*Homo erectus*, se dispersèrent sur tous les continents et l'on trouve des restes d'hominidés et des vestiges de leur culture partout et plus spécialement en Europe, en Afrique et en Asie.

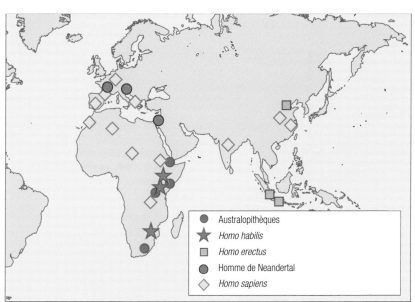

- ● Australopithèques
- ★ *Homo habilis*
- ▢ *Homo erectus*
- ● Homme de Neandertal
- ◇ *Homo sapiens*

INDEX

Introduction

La Terre

La collection
de minéraux

Les systèmes
cristallins

Les gemmes

Les minéraux

Les roches

La vie
sur Terre

La formation
des fossiles

Les espèces
disparues

Les types
de fossiles

Les dinosaures

Les fossiles
de mammifères

La collection
de fossiles

Les gisements
de fossiles

Index